眠れなくなるほど面白い哲学の話

大人の教養書シリーズ

中谷彰宏

AKIHIRO NAKATANI

こうすれば安心というのが道徳
もっと別のやり方が面白いと
自由なのが哲学

中谷彰宏

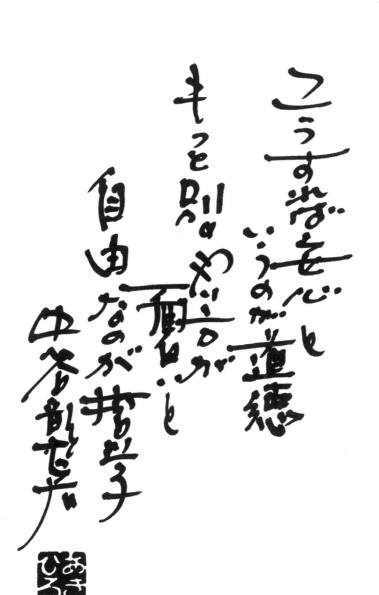

この本は、３人のために書きました。

①
哲学は、興味があるけど、
難しいと挫折した人。

②
壁にぶつかっている人。

③
生まれ変わりたい人。

01

まえがき

哲学は、青春論だ。青春とは、正解を見つけることではなく、自分に問い続けることだ。

高校時代の私はあまのじゃくだったので、みんなが受験でとらない国語と倫社が大好きでした。

受験科目ではない倫社は、みんなは捨てていました。

私は倫社の教科書を学校で使っていない出版社のものまで全部買いました。

出版社によって書き方が違うからです。

私は、4月の頭にもらう教科書をその日のうちにすべて読んでしまう主義でした。

教科書も、私にとっては「本」なのです。

最初の授業の時に、八田幸雄《はったゆきお》先生は「どんな授業をしてほしいですか」と聞きました。みんなが「まだやってないし」と困惑している中で、私は手を挙げて、「ジャン・クリストフをお願いします」と言いました。

私は「ジャン・クリストフは文学で小説。これが授業でいいの?」と思っていました。八田先生は「ジャン・クリストフ、いいですね。やりましょう」と言ったのです。

その教科書はいまだに持っています。

私の中では、『ジャン・クリストフ』(ロマン・ロラン著)は、まさに青春小説です。哲学は、青春論です。

「いかに生きるべきか」がテーマです。

大昔から松岡修造がいるのです。

今の私もソクラテスと松岡修造の延長線上にいるのです。

「青春とは何か」という課題は、実際はそれを考えること自体が青春です。

大人は「そんなもの決まってるじゃないか」と言います。

部下が「なんでこうなんですか」と聞くと、上司に「しょうがないよ。決まってるんだ。オレもこう教わってきたんだ」と言われます。

「決まってる」に対して「そうなの？」と思うのが、青春であり、哲学です。

哲学は「なんで？」ということです。

世界が転換期を迎えると、世界中で哲学者が一気に出てきます。

そういうことをみんなが考えるようになるのです。

今は正解のない時代です。

今までの正解通りしていればいい時代から、それでは答えが見つからない時代になりました。

だから、こうでもない、ああでもないと考えることが大切です。

正解が見つからないのではなく、新しい正解をつくっていく時代が来たのです。

時代を生き抜くために

01 正解のないことを、自分に問い続けよう。

時代を生き抜くために 67

01 正解のないことを、自分に問い続けよう。
02 いろんな考え方を、楽しもう。
03 専門外のことも学ぼう。
04 哲学は、人で覚えよう。
05 「自分は何も知らない」ということを、知ろう。
06 人のことより、自分について考えよう。
07 意見の違う人と、話そう。
08 自分で自分に、茶々を入れよう。
09 解答ではなく、課題をもらいに行こう。
10 奥さんにツッコまれよう。
11 表面に惑わされずに、本質を見極めよう。
12 向上心を持とう。

もくじ

第2章 「リーダー」がいれば、困難を乗り越えられる。 宗教

第3章

「自分が動くこと」で、世界を変えられる。

ルネサンス

第4章

「学ぶこと」で、人は成長できる。

産業革命

第5章 現代

「面白がること」が、未来をつくる。

序章

どうして、哲学が気になるのかな。

02

違う意見に、耳を傾ける。自分も、間違っている。

哲学とは、違う意見に耳を傾けることです。

いろいろな人が、いろいろなことを言っています。

自分と違う意見に対して、「マニュアルでこう決まっている」「先輩からこう教わってきた」「オレは入社してからずっとこうやっていた」と、つい言ってしまいます。

「ひきこもり」という現象は、物理的に家の中で閉じこもっていることではありません。

「自分の考えと違う意見は一切受け入れない」という精神的な不寛容のことです。

違う意見があっても、「面白いね。そんな考え方もあるんだ。考えたことなかった」と受け入れて、お互いがぶつけ合うのが哲学です。

哲学に正解はありません。

百花繚乱です。

あんなのもある、こんなのもある……ということに出会っていくのです。

サッカーやラグビーと同じで、相手のいろいろな作戦に対して、「じゃ、うちはこうしよう」ということを常にやっているのが哲学者です。

自分と違う意見を楽しんでいくことが哲学なのです。

時代を生き抜くために

02

いろんな考え方を、楽しもう。

03

哲学は、学問の壁を越える。突破口は、専門外にある。

壁にぶつかった時に、つい壁を突破する方法を自分の専門分野で探そうとします。

太平洋戦争の時、軍人は軍事の専門だけで戦争を進めようとしました。

戦争は総力戦です。

いろいろな分野の専門家が必要なのに、「軍事のシロウトは黙ってろ」と言って黙らせたのです。

アメリカの強さは、オールジャンルを集められることです。

横断する中から画期的なアイデアが生まれるのです。

ハーバード・オックスフォード・ケンブリッジなどのトップの学校は、経済・政治に加えて、哲学が必修です。
リーダーは問題を解決する時に哲学的なことにぶち当たるからです。

医学も、今はクローンや安楽死など医学で解決できないところまで来ています。
肝臓ガンなのにお酒をやめない人をどうするかという問題です。
医学的には強制的にやめさせるのが正解です。
そうすれば物理的に長生きします。
ただし、その人は好きなお酒が飲めないので、精神的には死んでいます。
それは、お医者さんの押しつけにすぎません。
大切なのは、クオリティー・オブ・ライフです。
この先、寿命はどんどん延びていきます。
長生きが果たして幸せなのかどうかは、医学では解決できない問題です。
ここで哲学が解決のヒントを与えてくれるのです。
「哲学」という専門分野ではないのです。

専門分野は、どんどん進化して分かれていきます。
それに横串を刺すのが「哲学」という学問です。

時代を生き抜くために

03

専門外のことも学ぼう。

第1章

やっぱり、幸せがいいね。

古代ギリシャ

Sōcratēs 04

理論よりも、その考え方をする人間を知ろう。

ソクラテス
前470〜前399
古代ギリシャ

哲学はロジックで覚えるより、人で覚えるのが一番覚えやすいです。

哲学は所詮「哲学者」という1人のオジサンが考えたことです。
いろんなオジサンたちが集まって哲学の流れをつくったのです。
まずは、理論ではなく、オジサンを知ることが大切です。
その中で有名なオジサンがソクラテスです。
ここでくじけるのです。
そこで、ソクラテスの奥さんのことを考えてみます。
ソクラテスの奥さんは三大悪妻の1人です。
三大悪妻は、ソクラテスの奥さん、モーツァルトの奥さん、トルストイの奥さんの

3人です。
いずれも偉人です。
悪妻は偉人を生むのです。
そう思うと、もっと感情移入できます。
いい奥さんをもらうと、男はダメになります。
悪妻がいたら哲学的にならざるを得ないのです。

時代を生き抜くために 04

哲学は、人で覚えよう。

Sōcratēs

05

知っている人ほど、「何も知らない」と感じる。なんでも、楽しめる。

ソクラテス
前470～前399
古代ギリシャ

人間は、進化しているようで、あまり変わっていません。
どこの会社にも「オレはなんでも知っている」と言う人がいます。
そういうタイプの人は大昔からいます。
「知っている」とはどういうことなのかと考えたのがソクラテスです。
「知らない」ということが、「知っている」ということです。
「なんでも知っている」と言う人は、すべてを知っているわけではありません。
知らないことに気づいていないだけです。

「知らないことはない」と言ってしまっているのです。

知っていることは、ごく一部です。

「知らないこと」をネットでも検索できません。

「私の知らないこと」と検索ワードに打っても出てこないのです。

検索には何がしかのワードが必要です。

これが哲学の面白いところです。

専門家ほど「知らない」と言うのです。


予備校時代の寮の同級生に野球好きの男がいました。

「オレはメジャーリーガーはほんとに知らないんだよ。日本のプロ野球選手だけ」と言っていました。

実際にはメジャーリーガーも詳しいのです。

これは謙遜ではありません。

詳しいから「知らない」と言うのです。

実際、「知っている」と言う人より「知らない」と言う人の方が詳しいことが多いのです。

定年後に新しい仕事で独立するならば、自分の知らない分野の方が成功します。

「自分は○○が得意だ」と言っていることは浅いのです。

「哲学はよく知らない」と言う人の方が知っているので大丈夫です。

「知っていると思う」というのが一番危ないのです。

知っていると思いこむ人は他人の話を聞かなくなるのです。

時代を生き抜くために

05

「自分は何も知らない」ということを、知ろう。

Sōcratēs 06

自分が、一番興味深い。

ソクラテス
前470〜前399
古代ギリシャ

大昔から「自分探し」というのはありました。

SNSのない時代から、「他者承認を気にするな」ということは、さんざん言われていたのです。

人間は、人が集まるようになった時代から他者承認を気にして生きてきました。

昔から「いいね！」を欲しがり、「よくないね」を恐れていたのです。

「自分が一番興味深い対象である」と言ったのがソクラテスです。

人のことを気にするよりも、自分に興味を持とうということです。

他者承認を求めるよりも、もっと自分に関心を持った方がいいのです。

自分を好きになることは、自分に関心を持つということです。

たとえば、旅行代理店で「どこへ行きたいですか」と聞かれた時に、逆に「みんなはどこに行くんですか」と聞き返す人がいます。

この時点で自分の「好き」ではなくなっています。

「好き」はフェチです。

自分のフェチにもっとこだわっていいのです。

何も性欲だけのことではありません。

勉強も、フェチです。

「なぜかこのジャンルが気になる」とか「なぜかこの本棚が気になる」というのは、もはや理由のない世界です。


究極の興味は自分です。

一番楽しいのは、自分の中の宇宙です。

自分は、どうしてこういうものに興味を持つのか。

自分はどこから来て、これからどこに行くのか。

それが哲学の究極のテーマです。
「自分は誰？」ということです。
相手が誰とか、世の中でどういう人がウケるかではありません。
「自分は何ができる」でもありません。
「自分は何が好きなのか」です。
人間は、自分がどういう人間なのか考えることが許されているのです。

時代を生き抜くために

06

人のことより、自分について考えよう。

Sōcratēs 07

話しながら、考える。

ソクラテス
前470〜前399
古代ギリシャ

『ソクラテスの弁明』という本は、弟子のプラトンが書いたものです。

ソクラテスは、ずっと歩きながら話しています。

弟子に教えていたのではありません。

弟子と話しながら、自分の考えが整理されていくのです。

西洋の学校の授業は、ワンウェイではなくツーウェイです。

小学校の時から話しながら授業をしています。

たとえば、クラスの友達を殴った子に「謝りなさい」と言わないで、「何か言うことあるでしょう」と言うのです。

この問いかけからして日本とは違います。

これが会話の始まりです。

ものの考え方として、お互いに話しながら頭を整理していくのです。

この方法を考案したのがソクラテスです。

ソクラテスも孔子もイエス・キリストも釈迦も、弟子が師匠とのやりとりを書いています。

弟子が「お言葉を返すようですが」と言った時に、師匠が「いいからオレの言うことを聞け」と言ったら会話は終わります。

会話で大切なのは、「お言葉を返すようですが」を受け入れることです。

返された言葉に対して、「なるほど。それはたしかに一理あるな。そこで、こういう考え方もあるよね」と、考えがどんどん進んでいくのです。

時代を生き抜くために

07

意見の違う人と、話そう。

Sōcratēs 08

哲学者は、茶々を入れられるのが好き。

ソクラテス
前470〜前399
古代ギリシャ

ブレストの教科書には「ほかの人の意見に茶々《ちゃちゃ》を入れてはいけない」と書いてあります。

哲学者は、茶々が好きです。

茶々強い。**茶々を楽しみ、茶々を生かすことができるのです。**

つまらない本はワンウェイで書かれています。

「黙れ」と言うのです。

私は本を書く時、頭の中に「これを言うと、こういう茶々を入れる人が出てくるだろうな」ということが浮かんできます。

それとのキャッチボールで書いているのです。

時代を生き抜くために

08

自分で自分に、茶々を入れよう。

『面接の達人』以来、私はずっとそうしてきました。

これは関西人の発想です。

茶々を楽しんで、茶々を入れる人にどう説明しようかと考えているのです。

茶々は自分の頭の中でのツッコミです。

「それはここがおかしいんじゃないの」「これはなんで？」と、論理のあやふやなところをきちんとついてくるのです。

ソクラテスは、徹底的に会話をしながらやりとりするトレーニングをした人です。

茶々は考え方の違いであり、忖度《そんたく》しないということです。

「おまえは弟子だろう。先生が言っていることに茶々を入れるな」と言うのは、哲学ではないのです。

Sōcratēs 09

大切なのは「答え」ではなく、「問い」だ。

ソクラテス
前470～前399
古代ギリシャ

ものを考える時に、常に答えを求めようとする人がいます。
「先生、早く答えを言って」と言うのです。
それではただの答えの暗記になっていきます。
人間が成長するのは、答えを得た時ではありません。
問いを得た時にワンステップ上がるのです。
日本の学校教育は、先生が出した問いにいかに答えを出すかが求められます。
会社でも、部下は上司の問いに答えを出す係です。
正解のある時代は、これでいいのです。
今は上司にも正解がない時代です。

「こんなのはどう」と、世に問うていくことが大切になるのです。

その問いに対して、「イエス」と言うお客様もいれば、「ノー」と言うお客様もいます。

答えをいくら暗記しても、過去には通じても、今の世の中には通用しないのです。

それが今のマーケティングの時代です。

「法に従え」と言っていたソクラテスは、最後、「悪法もまた法なり」と言って、その悪法に従って毒を飲んで死にました。

その法は間違っています。

法的根拠も間違っています。

ソクラテスは、それに対してどうすべきか、自分で人体実験をすることで、弟子に「ここで自分が死んだら、おまえたちはどうするのか」という問いを残したのです。

千利休も同じです。

千利休は秀吉に切腹を命じられました。

断ればいいのに、命じられた通り切腹しました。

だからこそ、わび・さびが今日まで続いていくのです。

そこで断ったら、結果として秀吉に負けたことになります。

「切腹させていただきます」と言うことで、千利休は身をもって弟子の古田織部《ふるたおりべ》たちに問いをつくり、教えを残したのです。

学校や会社、お客様のところに行く時は、つい答えを求めてしまいます。

それよりは、**宿題をもらいに行くというスタンスで行くことです。**

人から宿題をもらえなかったら、自分で宿題をつくり出せばいいのです。

時代を生き抜くために 09

解答ではなく、課題をもらいに行こう。

Sōcratēs

10

今のステージの問題は一段上のステージで考えると解決する。

ソクラテス
前470〜前399
古代ギリシャ

器が大きいのは、次元が一段上だからです。
今の問題は今の議論をしても解決しません。
ステージ1の解決策はステージ2にあります。
ステージ1の問題をステージ1でいくら議論しても、そこに突破口はないのです。
奥さんは最強です。
奥さんは手品に一番かからない人です。
つまり、タネを一番見抜く人です。

奥さんに通じた手品は誰にでも通じます。

ソクラテスはそこで鍛えられたのです。

お客様よりも上司の方が厳しいし、上司よりも上司の奥さんの方が厳しいのです。

ソクラテスには弟子がたくさんいました。

プラトンのようなすぐれた弟子もいました。

弟子たちは「ソクラテス先生もなかなか大変だな」「偉いな」と感情移入したに違いありません。

忖度しない奥さんがいることで、考えを深めていたのです。

時代を生き抜くために

⑩

奥さんにツッコまれよう。

Plátōn 11

花は枯れるけど、美は永遠に続く。

プラトンはソクラテスの弟子です。
43歳下なのでまるで、おじいちゃんと孫です。
息子の代には行かないで、孫へ飛ぶのです。
プラトンはソクラテスの話を聞いて「観念論」をつくりました。
「花は枯れるけど美は残る」と言ったのです。
これは日本人にはよくわかる話です。
外国のガーデンは常に花が咲いています。
日本のガーデンは花が常に咲いていると、つまらないのです。

プラトン
前427〜前347
古代ギリシャ

2月に父親と一緒に上野公園に行きました。

「しまった。3月に連れてくれば満開の花を見せられたのに」と悔やんでいたら、父親は**「ここに花が咲くんやな」**と言ったのです。

さすが染物屋です。

枯れた枝を見て、想像で咲かせた花を味わっていたのです。

これがプラトンの美意識です。

表面の美しさは消えても、本質的な美しさは変わらないと言ったのです。

美学は、英語で言うと「エステティック（内面の美しさ）」です。

日本では、「痩身」という意味に思われています。

美学は哲学科です。

実際は哲学と美学は同じものです。

見えるものを扱うのが政治・経済です。

見えないものを扱うのが美学・哲学です。

表面に惑わされないことです。
見えないものが、見えるものを動かすのです。

時代を生き抜くために
⑪
表面に惑わされずに、本質を見極めよう。

Plátōn 12

エロスとは、憧れの人に近づきたいという向上心だ。

プラトン
前427〜前347 古代ギリシャ

「プラトニックラブ」という言葉があります。

この辺は高校生が一番食いつくところです。

高校生のプラトニックラブと、大人のプラトニックラブは違います。

プラトンは「エロス」を教えています。

ここで高校生は大騒ぎです。

エロスは「憧れの人に近づきたい」ということです。

性的感情でストーカー的に近づくこともあるし、**「尊敬する人のようになりたい」ということでもあります。**

ということは、エロスは向上心です。

「あの人はカッコいい。あの人のようになりたい」という感情がエロスです。
プラトンは、このエロスの大切さを説いたのです。
人は四元徳《しげんとく》（知恵・勇気・節制・正義）に憧れます。
プラトンはソクラテスの一番弟子です。
プラトンは師匠の話の受け売りをしないで、自分の経験と自分の解釈を加えました。
それがプラトンがソクラテスの一番弟子になれた理由なのです。

時代を生き抜くために

⑫

向上心を持とう。

Plátōn 13

コンプレックスがプラトンを内側へ向かわせた。

プラトン
前427〜前347
古代ギリシャ

プラトンは、マッチョです。

「プラトン」はあだ名で、肩幅が広いというギリシャ語です。

今風に言うと「マッチョ」です。

もはや哲学者の名前というより、レスラーの名前です。

実際、レスリングの師匠のアリストンにそう呼ばれたのです。

ギリシャ人は、強い心は強い体に宿ると考えていました。

ツープラトンというプロレス技もあります。

マッチョのプラトンだからこそ「見た目じゃないよ。中身だよ」と言ったのです。

プラトンは体が大きいせいで、「繊細じゃない」とか「頭空っぽ」とか「花とか理解できないだろう」とか言われたのでしょう。
ソクラテスは人間っぽいのに、プラトンは内側へと向かっています。
それはフィジカル派プラトンのコンプレックスから来ているのです。

時代を生き抜くために

⑬

コンプレックスから、アイデアをつくろう。

Aristotelēs 14

実際の幸福の実現こそ、善だ。

アリストテレス
前384〜前322
古代ギリシャ

面白いことに、プラトンの一番弟子のアリストテレスもまたプラトンの43歳下です。

弟子の中で一番歳が若いのです。

プラトンが説いたのは本質の大切さです。

それに対して、アリストテレスは「いやいや、本質ではなく、実際の幸福を実現しなくちゃ」と言ったのです。

師匠の言ったことを全否定です。

ドーンとひっくり返していったのです。

これがプラトンの懐《ふところ》の深さです。

一流の経営者も、イエスマンでない人をかわいがります。

アリストテレスは、体は幸福実現のために使った方がいいと考えました。

「師匠はあんなマッチョな体をしているのだから、もっと体を生かした方がモテたのに」と言ったのです。

大昔から、人は「幸福になりたい」と思ってきました。

「どうしたら幸福になれるか」というのが哲学のテーマです。

「How to be successful」です。

今、本屋さんでは自己啓発コーナーに掲げてあるテーマです。

女性コーナーにあってもおかしくありません。

女性誌もそれがテーマになっています。

毎回、ファッションが載って、憧れの人が載っています。

オープニングにダイエット特集がある一方で、スイーツコーナーもあります。

この懐《ふところ》の深さが女性誌にはあるのです。

幸福は「ここにある」というものではありません。

「幸福になるために、すぐれた生き方をする」ということでもありません。

幸福はオン・ザ・ウェイです。

すぐれた生き方をすることが、すでに幸福です。

求めていくことに幸福があるのです。

「幸福は方向性(ベクトル)であって、到達点(デスティネーション)ではない」のです。

「哲学」というと何か禁欲っぽいイメージがありますが、そうではないのです。

アリストテレスは、師匠の話を全部飲み込んだ上で、それを踏まえて新たなところに進んでいきました。

弟子には師匠の土台があって、そこから上へ上へと上がっていきます。

ゼロからつくったのではないというのが大切なことなのです。

時代を生き抜くために ⑭ すぐれた生き方を追求しよう。

Aristotelēs 15

倫理は、習慣で磨かれる。知性は、教育で磨かれる。

アリストテレス
前384〜前322
古代ギリシャ

習慣と教育は、常にアップデートしていくことが大切です。

「知性は教育で磨かれる」というのは、今は当たり前のことだと思われています。

この当時は画期的な考え方でした。

知性は生まれつきのものだと思われていたからです。

この時代は市民と奴隷が分かれていました。

奴隷が働いてくれるおかげで、市民はいろいろなことを考える余裕ができました。

ギリシャ哲学が進歩したのは奴隷制だったからです。

奴隷はただ働くだけで、考える余裕はありませんでした。

知性が教育で磨かれるならば、誰にでもチャンスがあります。

今、私たちは一見奴隷制のない時代に生きています。

せっかくすべての人が哲学できるようになったのに、哲学しないのはもったいないです。

哲学しないと奴隷になってしまいます。

奴隷でも、教育すれば知性が磨かれてチャンスが生まれるのです。


倫理は習慣で磨かれます。

たとえば、世襲制によって、能は600年間、受け継がれてきました。

技術を受け継ぐだけなら、弟子の中から才能のある人に継がせた方がいいのです。

能が伝えなければいけないのは、技術ではなく精神です。

精神を受け継ぐには、普段接していることが大切です。

歌舞伎も同じです。

六代目中村勘九郎さんが舞台で失敗して、それを楽屋で勘三郎さんに謝っていました。

勘九郎さんが「今日はあそこで失敗してすみませんでした」と言うと、勘三郎さんは「そんなことはどうだっていいんですけどね、あなたが今閉めた扉の閉め方がよくありません」と言って叱ったのです。

日常の習慣を磨くのが倫理です。

倫理は、精神です。

知性は、技術です。

倫理と知性の両方をアップデートすることが大切なのです。

時代を生き抜くために

15

習慣と教育を、アップデートしよう。

Aristotelēs

16

正義は、「ほどほど」にある。

アリストテレス
前384〜前322
古代ギリシャ

プラトンが言う四元徳《しげんとく》は、知恵・勇気・節制・正義です。

その中で、正義は一歩間違うと戦争を起こします。

正義は、ほどほどがいいのです。

「正義」と「ほどほど」はギャップがあります。

ほどほどにしていると、人から「ひよった」と言われます。

会議で「中間をとって……」と言うと、部下から「最低だな」「意気地なし」と言われます。

正義は、熱狂します。

ヒトラーは独裁者と言われていますが、選挙でみんなが熱狂して選んだ人です。

熱狂は危ないのです。

世の中で熱狂的なブームが起こっても、それに巻き込まれないことが大切です。

「これはこれ、あれはあれ」と考えた方がいいのです。

「リベラル」というと、何かとんがった過激な感じがします。

実際は、**リベラルは「ほどほど」という意味です。**

「ほどほど」は悪いことではありません。

大間違いは起こらないのです。

伝統が屋台骨を壊さずにいるのは、「ほどほど」が伝統にブレーキをかけているからです。

伝統だけでは壊れます。

伝統と革新をミックスしたものが「ほどほど」です。

情熱と冷静との間が「ほどほど」で、ここに正義があるのです。

危ないのは情熱に偏ることです。

情熱はわかりやすいし、振り回されてしまうのです。

時代を生き抜くために

16 熱狂に、惑わされない。

Aristotelēs 17

壁をとびこえるのではなく、階段を一段ずつ上がる。

アリストテレス
前384〜前322
古代ギリシャ

アリストテレスは、プラトンが「本質だ」と言っているのに、「やっぱり現世で幸せになりたい。本質にこだわっていると枯れてしまうじゃないですか」と言いました。

理想と現実がぶつかり合うのが、哲学の流れ、歴史の流れ、美術の流れです。

常に理想と現実を行ったり来たりするのです。

すべての人間は理想と現実の中に生きています。

アリストテレスも、いきなり「現実がいい」と言ったのではありません。

「理想は大切だけど、一気に飛び上がるのではなく、現実の階段を一段ずつ上がろうよ」と言っているのです。

それがアリストテレスの現実主義です。

理想だけ掲げると、くじけてしまうのです。

理想を見上げながら、現実の階段を一歩ずつ上がるのです。

時代を生き抜くために

17 階段を一歩一歩上がろう。

Zēnōn

18

自由は心の中にある。

ゼノン
前335〜前263
古代ギリシャ

ゼノンもまたアリストテレスの49歳下の弟子です。

幸せになるためには、「自由」と「運命」が大切なテーマです。

ゼノンは、自由には「社会的自由」と「精神的自由」があると考えました。

たとえば、奴隷制は社会的には不自由です。

日本のサラリーマンは「社畜」と呼ばれています。

100年ぐらいすると、歴史の中で「日本には『株式会社』という奴隷制度があった」と言われている可能性があります。

奴隷制の時代は、奴隷は自分のことを奴隷とは感じていませんでした。

だから幸せです。

「市民にしてやる」と言われても、「勘弁してください。奴隷のままでいさせてください」と言うのです。

奴隷解放でも、「今のままがいいです」と言う奴隷がたくさんいたそうです。

サラリーマンも同じです。

「おまえを社長にしてやる」と言うと、「いや、奴隷でお願いします」と言うのです。

これが社会的奴隷です。

精神的奴隷は、自由なフリして自由ではないのです。

これをしてはいけない、あれをしてはいけない、これをしたらみんなに嫌われる、これをしたら炎上する、これをしたら友達がいなくなる……そんなことに、がんじがらめになっています。

どうしたら「いいね！」をもらえるかという発想は、すでに「いいね！」の奴隷です。

「いいね！」と言う人は権力を持っています。

その人にどう気に入られるかということばかり考えているのです。

お寿司屋さんで、あるお客様が「ランチにカレーをやってくれたら来るのに」と言いました。

だからといって昼にカレーを始めるのは、お客様の奴隷になっています。

しかも、そのお客様は来ないのです。

カレーのにおいのするお寿司屋さんには誰も来たくないからです。

お客様の言うことを聞くだけでは奴隷だということです。

「ルイ・ヴィトンが欲しい」と言われてルイ・ヴィトンをプレゼントする人は、「言うことを聞く人は嫌い。ルイ・ヴィトンだけはもらっとく」と言われます。

ルイ・ヴィトンだけとられて、フラれるのです。

これが精神的奴隷です。

自由は心の中にあるものなのです。

時代を生き抜くために 18

心の中に、自由を持とう。

Zēnōn

19

運命に、よいことも悪いこともない。心が動揺することが、悪。

ゼノン
前335〜前263
古代ギリシャ

占いで「こういうことが起こりますよ」と言われると、「先生、それはいいことなんですか。悪いことなんですか」と聞く人がいます。

なんとなく「いい運命」と「悪い運命」に分けようとしますが、運命に「いい」も「悪い」もないのです。

本当の自由は、何が起こっても動揺しないということです。

不自由は、起こった出来事に一喜一憂するということです。

いいことが起こっても、悪いことが起こっても、淡々としているのが本当の自由です。

試合で勝ったか負けたかわからないような表情でいる人は自由な人です。

将棋では負けた方が「負けました」と言います。

升田幸三《ますだこうぞう》名人は、自分が負けると「うん、そこまで」と言うのです。

何か勝ったような言い方です。

勝った大山康晴《おおやまやすはる》名人の方が負けたような顔をしています。

どちらが勝ったかわからないのが、升田幸三と大山康晴の凄さです。

善悪を分けないことです。

「いいこと」と「悪いこと」、「正しいこと」と「間違っていること」を気にし過ぎなのです。


自分の本が売れるかどうかをビクビクする必要はありません。

それは「何人買ったか」というだけの問題です。

それを読んだ人がどれだけ感動したかは、売れた部数とはリンクしないのです。

たくさん売れても、「中身のない本だった。大ハズレ」と思われていることもあります。

一方で、少ししか売れなくても、読んだ人の人生を変えることもあります。

死のうと思った人が1人、その本を読んで死ぬのをやめたとしたら、結果的に人の命を救っています。

それは数字には出てこないのです。

時代を生き抜くために

⑲

善悪を、分けない。

Zēnōn

20 ストイックになればなるほど自由になれる。

ゼノン
前335〜前263
古代ギリシャ

好きなことをすればするほど不自由になるという、一見、矛盾したことが起こるのです。

好きなことをしていると、「なんでこれができないの」と、できないことが見えてくるからです。

たとえば、お酒が好きな人は、度を越すとお酒の奴隷になります。

お酒が好きでなければ、お酒から自由になります。

「プリズナートレーニング」があります。

マシンはなく、自重《じじゅう》だけを使ったトレーニングです。

腕立て伏せをしているのは映画『パピヨン』の中だけかと思っていたら、そうではないのです。

刑務所は閉じられた空間ですが、ある意味自由です。

自由時間が多いので、受刑者は体を鍛えているのです。


仕事も制約があればあるほど自由度は増してきます。

「好きにしてください」という仕事は、やりづらいです。

予算が少ない方が「どうせ少ないんだから」ということで、かえって決めやすいのです。

私の20代の時の広告代理店の仕事も制約だらけでした。

その中で、あれをしてはいけない、これをしてはいけないと言われれば言われるほど、クリエイティビティはとんがっていきます。

「締切自由」と言われたら、誰も仕事をしなくなるのです。

「ストア学派」を始めたのがゼノンです。

アリストテレスは「現世で幸せを追求することは悪くない」と言いました。

ゼノンは「自由は心の中にある。ストイックになった方が幸せになれる。現実より心の中だ」と言いました。

ストイックになればなるほど自由になれるのです。

時代を生き抜くために

20 制約の中で、自由になろう。

Epikouros 21

物質的に満たされると苦悩になり、精神的に満たされると快楽になる。

エピクロス
前341〜前271
古代ギリシャ

面白いのは、ストイック派が出てくると、必ずアンチストイック派が出てくることです。

ゼノンと同時代に出てきたのがエピクロスです。

エピクロスは、「エピキュリアン（快楽主義者）」の語源で、快楽主義を提唱した人です。

高校生は「快楽主義」と聞くと、「自分はこっちがいい」と思います。

これが高校生の素直なところです。

ひいきを持つことは、ファンになるということです。

お芝居でもミュージカルでもスポーツでも哲学でも、ひいきがいることで感情移入できるのです。

倫社ではいろいろな哲学者が出てきます。

たとえば、プラトンとアリストテレス、ストイック派のゼノンと快楽主義のエピクロスとでは、自分はどちら派かと考えてみます。

そうすることで、当事者意識が出てきて感情移入できるのです。

私は高校時代、空手部でした。

空手部は、ストイックです。

それで、みんなエピクロス派になりたがります。

「やっぱりエピクロスだよね。休憩しよう」という話になるのです。

しかも、高校生は性欲の塊です。

性欲が空手着を着ているのです。

エピクロスは「幸せは快楽の中にある」と言って、快楽を肯定してくれます。

「エピクロスって、なかなかわかってるよね」と、ますますエピクロス派になっていくのです。

ゼノンの部屋とエピクロスの部屋があったら、10対0で迷わずエピクロスの方に行きます。

ところが、エピクロスの部屋に行くと、**「快楽とは、異性に触れず、水とパンだけで生きることだ」**と言われるのです。

ここで「だまされた」と思います。

エピクロス派はストイック派とは一見、真逆のようですが、本質は同じです。

しかも、「異性に触れず」というのは高校生的にはキツイです。

高校生はモテるためにスポーツをしているのに、「異性に触れず」と言われたら、なんのためにスポーツをしているかわかりません。

「ちょっと待って。部屋を変わっていいですか」と言いたくなるのです。

物質的に満たされると、苦痛になり、苦悩が生まれます。

精神的に満たされて初めて快楽が得られるのです。

時代を生き抜くために

21 ひいきを持とう。

Epikouros

22

大人の恋愛は、精神的快楽だ。

エピクロス
前341～前271
古代ギリシャ

「同窓会で、昔好きだった男性に告白した方がいいでしょうか」という恋愛相談を受けたことがあります。

私は「その人に『好きだ』と言わない方がいいね」と、アドバイスしました。

「好きだ」と言って相手が喜ぶのは、中2までです。

相手の男性が中2ぐらいの精神年齢ならOKです。

会社でそこそこ役職があって、奥さんがいて、子どもが学校に行くような年齢の男性は、「好きだ」と言われるのはうれしいですが、「めんどくさいことになったな」と思うのです。

大人の恋愛は、「好きだ」「愛してる」を言わないで、「一緒にいて心地いい、ほっ

とする、安心できる」ということです。

これが精神的快楽です。

「好きだ」「愛してる」「抱いて」という**物質的快楽は苦痛になる**のです。

お金も同じです。

年収が上がると「こんなに税金を取られるのか」と、ショックを受けます。

「お金貸して、お金貸して」と、人がいっぱい寄ってきます。

何かにつけて「あんなに稼いでいるのに」とバッシングされます。

お金がたくさんあっても、幸せはないのです。

時代を生き抜くために

22 物質的快楽を求めない。

Epikouros 23

本当の豊かさは、下り坂にある。

エピクロス
前341〜前271
古代ギリシャ

快楽は心の中にあります。
実際は、ストイック派も快楽派も本質は同じです。
こういった考えが出てくるのは、社会が豊かになったからではありません。
社会が迷走して、正しいことがわからなくなったからです。
真に豊かな社会は、下り坂の中にあります。
豊かさは通りすぎたのです。
豊かさを体験した人には、これがわかります。
大きな家に住むと、掃除が大変です。
外車に乗ると燃費が悪いので、結局は自転車に戻ります。

こういう感覚は経済的なピークを過ぎてから出てくることです。

バブルを体験した世代がよかったのは、お金を持っていても人生はたいして変わらないとわかったことです。

バブルはもう1回やりたいほどのことでもないのです。

バブルを体験していない人には、これがわかりません。

「またまたそんなこと言って」と言うのです。

ぜいたくは一度経験してみることです。

そうすれば、そこに幸せはないことがわかります。

「美人は飽きる」というのは、美人とつきあったから言えることです。

美人とつきあっていない人が「美人は飽きる」と言うのは、『酸っぱい葡萄《ぶどう》』と同じなのです。

時代を生き抜くために

㉓

ぜいたくに、早く飽きよう。

第2章

「リーダー」がいれば、困難を乗り越えられる。

宗教

Confucius 24

世界は同時期に同じことを考える人が出てくる。

孔子
古代中国
前551?〜前479

中国は春秋・戦国時代から多くの国に分裂しました。
それぞれの国に、いろいろな哲学者が生まれました。
これが「諸子百家《しょしひゃっか》」です。
国をつくるためには1つのポリシーが必要です。
国が哲学者を雇うので、プロの哲学者がどんどん生まれたのです。
その1人が孔子です。
歴史を習う時は、中国史は中国史、ヨーロッパ史はヨーロッパ史で習います。
これでは時系列での関係性がよくわかりません。
なんとなくギリシャの方が古い感じがしますが、実際はソクラテスと孔子は同時代です。

ネットがないので、両者の関係は何もありません。

転換期になると、**同時期に同じことを考える人が世界のあちこちに出てくるのです。**

孔子は「リーダーシップ論」を説きました。

今日でも本屋さんのリーダーシップのコーナーに孔子シリーズが置かれています。

孔子は面倒見がいいので、弟子がたくさんいました。

弟子の就職のあっせんまでしています。

孔子自身もリーダーシップでたくさん苦労をしてきた人です。

孔子は、たたき上げです。

孔子は才能がない弟子にも紹介状を書いて、「おまえはここが強いから、ここを売りにしろ」とアドバイスしたのです。

孔子が弟子の質問に答えていきます。

「子曰く」というのは、孔子からの質問の答えです。

それが今日の漢文の教科書に残っているのです。

私は漢文が大好きです。
国語の中で漢文の配点は1割程度しかありません。
そもそも国語は点数に差がつきづらいのです。
私はそんなところに時間をかけて、効率の悪いことをして楽しんでいたのです。
漢文は、自己啓発書なのです。

時代を生き抜くために

24 漢文を、自己啓発書として読もう。

Confucius 25

徳のあるリーダーを育てれば、困難を乗り越えることができる。

孔子
前551?〜前479
古代中国

孔子は「徳のあるリーダーとは何か」ということをずっと考えていました。

今日のリーダーシップ論の原点の人です。

常に世の中ではリーダーが求められています。

困難は大昔からあります。

困難を乗り越えるには、1人ひとりの能力よりも、リーダーの能力の方が大きいのです。

能力とは技術的なことではありません。

徳があるということです。

「徳のあるリーダーがつくったルールに従えば大丈夫」と考えたのが孔子です。

時代を生き抜くために

25 徳のあるリーダーを育てよう。

孔子は乱れた世の中に秩序をつくろうとしました。
だから儒教は「目上の人を敬え」と教えるのです。
韓国は戦後キリスト教が多くなりましたが、ベースは儒教です。
韓国に研修に行くと、「我が国にもリーダーシップがあります」と言われました。
「どういうことですか」と聞くと、「目上の人を敬えと言われます」と言うのです。
それはフォロワーシップであって、リーダーシップではありません。
「社長に食べさせてもらっているのだから文句を言うな」というのが儒教精神です。
年下の上司は会社の中で儒教精神とぶつかっています。
私達の精神の中にも儒教はけっこう入り込んでいます。
江戸時代が260年続いたのは、儒教精神で秩序をキープできたからです。
リーダーは技術と共に、徳が大切なのです。

Mencius

26

人には、他人の不幸を見過ごせない情がある。

孟子
前372?〜前289?
古代中国

孟子《もうし》が提唱したのが「性善説」です。

「性善説」イコール「人はみんないい人だ」というのは勘違いです。

そんなことは言っていないのです。

性善説とは、人間はみんな「かわいそうな人を見過ごせない。助けてあげたい」という気持ちを本質的に持っているということです。

他人に同情する気持ちを「惻隠《そくいん》の情」と言います。

それは言わば、「優しさを信じること」です。

日本が世界でリスペクトを得られるのは、震災の時でも略奪が起こらないで、お互いに助け合うからです。

震災で自衛隊・消防・警察に助けられたのは、4人に1人です。

公的な救助では、それが限界です。

4人に3人は、周りの一般人に助けられたのです。

人を助けることは、けっこうめんどくさいことです。

自分の命のリスクも増えます。

それでも助けようという気持ちが人間の心の中にあるのです。

これが孟子の性善説なのです。

時代を生き抜くために

26 優しさを信じよう。

Xunji 27

人は、失敗するものだから、完璧を求めない。

荀子
前298?～前235?
古代中国

荀子《じゅんし》が唱えたのが「性悪説」です。

性悪説もまた、間違った解釈をされています。

「人を見たら泥棒と思え」というのは性悪説ではないのです。

性悪説とは、人は誰でも失敗するから、人に完璧を求めないで、失敗することを前提にマニュアルをつくっておこうということです。

人を疑えというのではなく、失敗した人を許すという考え方です。

「性悪説」という言葉になると勝手な解釈をしてしまいますが、本質はそこにあるのです。

私は中学校時代、兵法の孫子・韓非子・呉子など、「○子」という中国の思想家が大好きでした。

孔子は、みんなと違うアイデアを出して、一生懸命就職活動をしていました。

そういう人が大ぜいいて、お互いに鍛え合ったのです。

ギリシャのソフィストは、中国で言う諸子百家です。

皆で自由に意見を主張し合うことによって、失敗をどうするかということを考えてくれたのです。

時代を生き抜くために

27 失敗を前提にしよう。

Buddha 28

ゼロを発見したインド人は、歳にこだわらない。

釈迦
前463?〜前383?
前566?〜前486?
古代インド

インドのお釈迦様の時代は、ソクラテスと孔子と同じ頃と言えば同じ頃です。
釈迦との年齢差を知りたかったのですが、わからないのです。
インド人は年齢があやふやです。
あるインド人に歳を聞くと、「45歳から55歳ぐらいかな」と言うのです。
10年前も同じことを言っていました。
歳には、まったく興味がないのです。
日本人は1歳上とか1歳下にこだわります。
見た目が若いから年下だと思ったら、実際は年上で、突然、丁寧語になるのです。

時代を生き抜くために 28 無を感じよう。

日本人は体重にも細かいです。
毎日お風呂上がりに体重計に乗って、体脂肪率まではかっています。
インドでは遊園地とかお寺に体重計が置いてあります。
10円ぐらい入れると体重がはかれます。
その程度しか体重に興味がないのです。
インド人は血液型にも興味がありません。
日本人は、すぐに血液型とか星座を聞きたがります。
インド人は、「何型があるんですか」と言うぐらい無関心です。
それでいて数学は得意で、ゼロを発見したのです。
ゼロは、ないのではありません。
「無」というものが、存在するのです。

29

Buddha

つながっていない人は、1人もいない。すべてのことは、つながっている。

釈迦
前463?〜前383? 前566?〜前486? 古代インド

「つながっていない人は1人もいない」というのが、釈迦の考え方です。みんなつながってるよ。だから安心していいということです。

ネット社会では、「自分がつながっているかどうか」で一番ビクビクしています。

着信拒否が怖いのです。

面白いのは、着信拒否した人がまた解除すると、すぐ連絡が来ることです。

どれだけ気にして見ているのかという話です。

「なぜ既読にしないの」というラインも来ます。
便利なのか不便なのかわからないことが起こるのです。
昔から「私はつながっているのだろうか」という心配はありました。
お寺の銅鑼《どら》には、ひもがついています。
仏像の指も、ひもがつながっています。
あのひもは「つながっている」ことの象徴です。
神社の鈴を鳴らすひもも、「つながっている」という意味です。
鳴らすための道具ではないのです。
「自分はつながっている」と思っている時が一番安心です。
ひきこもりは、「自分はつながっていない」と感じています。
大丈夫です。みんなつながっています。
しかも、釈迦もつながっています。
そう考えると安心できます。
知らない人にも優しくできるのは、つながっているからです。

「つながっていたら優しくしよう」とか「つながっていないから優しくしない」ということではありません。

「つながるために優しくしよう」も、違います。

結果のために、行動することではないのです。

「自分はつながっていない」と思うのは、ただ見えていないだけです。

私が授業でそういう話をしても、授業が終わってから、「つながりが見えないんですけど、私はつながっているんでしょうか」と聞きに来る人がいます。

私は「大丈夫です。つながっています」と答えます。

それを言ったのが釈迦なのです。

時代を生き抜くために

29

結果のために、行動しない。

Buddha **30**

いいことも悪いことも、長く続かないから、大丈夫。

釈迦
前463?〜前383?
前566?〜前486?
古代インド

「諸行《しょぎょう》無常《むじょう》」と聞くと、日本人は自動的に「おごれる人も久しからず」と続きます。
「成功は続かない」という意味だと思っている人がたくさんいるのです。
本当は、「いいことも悪いことも続かないから大丈夫」ということです。
釈迦は哲学者です。
神ではありません。
神のお告げとは言っていないのです。
悩み相談を受けているうちに、いつの間にか神格化してしまっただけです。
釈迦のもとには、つらい思いをしている人が大ぜい来ます。
「こういうことでつらいんですけど」という悩み相談で集まるのです。

釈迦は「つらいことは続きませんよ」と言いました。

それが「諸行無常」です。

そもそも絶好調の人は相談に来ないで、飲みに行っています。

本屋さんにも来ません。

絶好調の人に「いいことは続かないよ」とアドバイスをしたら、「続くと言ってください」と言われました。

物事には波があります。

ずっと続くわけではありません。

今に執着しない方がいいのです。

前の成功とか前の失敗に執着すると失敗します。

たとえば、サイコロを1回振ると「1」が出ました。

2回目も「1」が出ました。

2回出ているから3回目は「1」は出ないだろうと思います。

実際は3回目でも「1」が出る確率は同じ6分の1です。

3回続けて出る確率は216分の1ですが、次の1回は常に6分の1の確率です。

前の2回は関係ないのです。

前の延長線上で考えてしまうところに苦悩が生まれます。

「続かない」と考えていると、「前の本は売れたのに、今度の本はなぜ売れないのか」ということで悩まなくて済みます。

むしろそれが普通です。

今回売れないから次も売れないということもありません。

物事は、1回1回、独立しているのです。

時代を生き抜くために

30 成功にも失敗にも、しがみつかない。

Buddha 31

縁は、ロングパスだ。

釈迦
前463?〜前383?
前566?〜前486?
古代インド

仏陀《ぶっだ》は「目覚めた人」という意味の称号です。
釈迦は、釈迦族の苗字です。
釈迦が悩み相談で「こうしなさい」ということは何もありません。
「こう考えたら」と言っているうちに、みんなの中でなんとなく固まっていくのです。
釈迦に相談すると元気が出るので、相談者は増えていきました。
おみくじは、もともと比叡山で始まりました。
神道ではないのです。
おみくじを引く時は、まず相談ごとを紙に書きます。
それを出して、「わかりました。こういうことですか。では、おみくじを引いてください」という流れです。

「これでは受けられない」と言って断られることもあります。

おみくじを引いたら、そのくじを持って、またさっきの悩み相談に行くのです。

それは紙ではなく口頭でのやりとりです。

これがおみくじの始まりです。

今で言えば、セラピストです。

アメリカはセラピストの仕組みができ上がっています。

東洋では、セラピストのかわりがお坊さんです。

カトリックの国へ行くと、小さな部屋に入って懺悔《ざんげ》します。

「すべてのことにつながっている」というのは、草や木や動植物にも、失敗や成功、出会いや別れなどの出来事にもつながっているということです。

「このためにこうする」という行動は意味がないのです。

それは因果関係です。

よく「目的意識を持ちなさい」と言われます。

仏教用語の「縁起」はつながりが見えないのです。

「回る因果は糸車」で、見えないのです。

AからBへつながるのが、因果関係です。

AからZへつながるのが、縁起です。

縁はロングパスです。

誰かに何かいいことをしても、その人からは返ってきません。

必ず別のところから返ってきます。

これが「つながっている」という考えです。

そう思うと、ほっとします。

つらいことが多い人にとっては、「死んじゃダメ」「生きよう」という励ましになるのです。

時代を生き抜くために 31

「何のために」にこだわらない。

Jesus 32

科学では、説明がつかないことがある。

イエス・キリスト
前4?〜後30?
古代イスラエル

イエス・キリストは奇蹟《きせき》を起こしています。
キリスト教も、当時の新興宗教です。
圧倒的にユダヤ教を信じていた人が多かったのです。
そういう状況では、やはり奇蹟を起こすことが重要です。
イエスが奇蹟を起こしたのは、人に話を聞いてもらうためではありません。
世の中のすべてのことが説明できるというのは思い上がりだと知らせるためです。
説明できないからといって、うさんくさいまがい物とは限りません。
世の中には「説明できること」と「説明できないこと」があるのです。
これがイエスの哲学です。

奇蹟を見せることで、「ほらね、これは手品じゃない。こんなことが起こるんだよ」と、直感させるのです。

頭がいい人ほど「何か説明があるはずだ」と考えます。

何かいいことをされても、「これには裏がある」と考えるのです。

新しい感染症が広がると、「これは生物兵器に違いない。ヤバい」と、陰謀説に巻き込まれていきます。

ネットの中では恐い情報が飛び交っています。

「すべてのことを説明してもらわないと心が落ちつかない」というのは、その人の弱さです。

「すべてのものが説明できるわけではない」と、どこかで切り離すことが大切なのです。

時代を生き抜くために

32

すべてのことに、説明を求めない。

Jesus 33

世の中には、理由のないものがある。

イエス・キリスト
前4?〜後30?
古代イスラエル

古代遺跡に行くと、誰もが「これはなんのためにあるんですか」という質問をします。「これは日時計になっている」とか「夏至の日に光が当たる」とか、そういうことを言ってほしいのです。

世の中には理由がないものもあります。

にもかかわらず、「理由なく」を許さない風潮があるのです。

「おまじないか何かですか」とか、何か理由が欲しいのです。

理由を求めていくと、余計弱くなります。

私の師匠の藤井《ふじい》達朗《たつろう》は、最後はいつも「なんとなく」で終わっていました。

「なんとなく」が強いのです。

理由を求めていくと、好き嫌いを放棄することになります。

自分から離れていって、論理に負けてしまうのです。

イエスは、死んでから復活するのです。

イエスは磔《はりつけ》でヤリに刺されます。

「わき腹に穴があいているのを見せてみろ」と言う人の指をとって中にズブズブズブと入れて、オーッとさせるのです。

奇蹟が起こっても不思議ではありません。

人間がすべてを理解できるというのは思い上がりです。

東洋人は自然という上位概念を持ちやすいので思い上がりません。

西洋人は、すぐ思い上がります。

自然は征服できると思っているからです。

東洋人にとっても自然は脅威です。
それでも西洋の自然の脅威に比べればマイルドです。
自然は厳しいこともありますが、許してくれることもあります。
だから自然を征服しようとしないのです。
西洋人にとっては、自然があまりにも脅威すぎて征服したくなるのです。
自然環境の違いが物事の考え方の違いになるのです。

時代を生き抜くために

33 すべてのことに、理由を求めない。

Jesus 34

神に近づかなくても、神様は愛してくれる。

イエス・キリスト
前4?〜後30?
古代イスラエル

プラトンの「エロス」は、尊敬する人に少しでも近づきたいということです。イエスの「アガペー」は「無償の愛」と訳されます。「近づかなくてもいいですよ。私が行きますから」ということです。プラトンのエロスとは逆の発想です。

こちらから行くか、向こうから来るかの違いです。

向こうから来てくれるとなると、やる気満々の人は少しくじけます。最初からくじけている人は、向こうから来てくれるからいいのです。「まだ来てないような気がするんですけど、DMと一緒に捨てたかな」みたいなことを言う人がいます。

すべての人が愛されています。
それに気づいていないだけです。
愛とは、もらうものではありません。
「こんなにしてもらっている」と、気づくことです。
レベルの高い愛情ほど気づかないのです。
「プレゼントです」と言って渡さないからです。
「たまたま偶然こういうことが起こった」というのは、偶然ではありません。
何も言わずに、それをしてくれている人がいるのです。
上質なおもてなしは、「しています」というところは見せません。
それがいいダンドリで起こるのは、きちんとしてくれている人がいるからです。
「私は頑張れないんです」と言う人がいますが、頑張らなくてもいいのです。
神様の方から、きちんと近づいてきてくれます。
だから大丈夫です。
誰もが見守られているのです。

時代を生き抜くために

34 愛されていることに、気づこう。

Jesus 35

自分の罪の深さを知るほど、神の愛の大きさがわかる。罪とは、目先の利益のことだ。

イエス・キリスト
前4?〜後30?
古代イスラエル

誰にでも後ろめたいところがあります。

後ろめたいことがあると幸せにはなれません。

たとえば、タクシーを拾った時に、川下からお年寄りが1人出てきました。

心の中で「見えなかったんだよね」とか「急いでいるから」と言いわけしながらクヨクヨしています。

そんなことは、たくさんあります。

イエスは人々が持っているクヨクヨを流してくれるのです。

ベースとしては、人のよさです。
ここは日本人にわかりにくいのです。
日本人は「恥」は、よくわかります。
「罪」は、意味がよくわからないのです。
「自分は罪を犯していない」という気持ちがあるからです。
罪とは「目先の利益」のことです。
目先の利益には、つい飛びついてしまいます。
理想を邪魔するものは、現実ではなく、目先の利益です。
「こうありたい」という理想はあっても、背に腹はかえられないのです。
すべてのことにおいて障害になるのが目先の利益です。

絵画では、イエスは赤いリンゴを持っています。
それがイエスの持物です。
赤いリンゴを持っていたら、イエスです。

赤いリンゴは原罪の象徴です。

ダイエットで「最後にこの1個を食べてから」とか、禁煙で「この1箱を吸ってから」というのが目先の利益です。

「私は法律を犯していません」と言う人がいます。

キリスト教の「罪」は法律上の罪ではありません。

法律的には罪ではないけど、人間としてはどうなのかということです。

災害時に、アンパン1個を1000円で売っても罪ではありません。

「でも、それってどうなの」ということは、自分の心に問うことです。

法律では決められないのです。

性悪説では、目先の利益の誘惑は強いということを教えています。

そろそろ目先の利益から解放されてもいいのです。

時代を生き抜くために

35

目先の利益から、解放されよう。

Jesus 36

神の前に、みんな平等。罪を悔い改めた人を、許そう。

イエス・キリスト
前4?〜後30?
古代イスラエル

キリスト教では、目先の利益に走った人でさえ、許してもらえます。目先の利益に走らなかった人が上に行くわけではありません。

神様のもとでは、ランキングは平等です。

人間は、どんどんランキングを上がろうとしていきます。

売上を上げたら給料が上がるとなると、みんなは必死に頑張ります。

成果主義になると、給料が上がらなかった人はどうなるのかということです。

たとえば、人事部にいる人は売上を上げられません。

「あいつは営業だからいいけど、自分はどう評価してくれるの」と、納得がいかないのです。

結局、利益率を上げるために人事で人を切り始めます。

何人リストラしたかで会社に貢献するというギスギスしたことになるのです。

社長の給料もヒラの給料も全員同じなら安心です。

「社長も同じなら仕方ない」と思えるのです。

少しでも差がつくことで、みんなに不平不満が生まれてきます。

神の前では誰もが平等です。

すべての人が罪を犯しています。

生まれた時から人に迷惑をかけています。

それに気づけば許してくれるのがイエスの考え方です。

正しい人と間違っている人がいるのではありません。

誰もが間違っていて、その中で悔い改めている人と悔い改めていない人がいるだけのことです。

時代を生き抜くために

㊱ 正しいと間違っているを分けない。

第3章

「自分が動くこと」で、世界を変えられる。

ルネサンス

37

Thomas Aquinas

人間は、微力だけど、無力ではない。

トマス・アクィナス
1225?〜1274
イタリア

ローマ帝国は道をつくり、人や物を流通させました。

その道でイエスの教えはどんどん流通し、弾圧する側も、受け入れざるをえなくなりました。

最初は黙認をして、やがて公認に変わり、そこから1000年間、キリスト教の時代になります。

そうすると、科学の進歩より、「進歩しない方が幸せだよ」「知らない方が幸せだよ」という考え方が広まりました。

科学は、「すべて神がつくっている」というキリスト教と、つじつまが合わないからです。

宇宙物理学者のスティーヴン・ホーキング博士も「ヴァチカンに行くと逮捕される」とジョークを言っていました。

ギリシャ・ローマで進んだ科学は、封じ込められたのです。

その封じ込められた科学は、イスラムに渡りました。

イスラムの人は勉強好きなので、科学の知識をずっと持っていました。

その結果、十字軍はイスラムにこてんぱんにやられました。

科学を学んだイスラムに勝てるわけがありません。

十字軍の戦いは、後半から、半ば旅行に変わりました。

イスラムの土産物などを持ち帰っているうちに、ヨーロッパでペストが起こりました。

十字軍が勝てないことに対して、
①「神にすがろう」と考える人たち
②「神ってどうなの？」と考える人たち
の2通りに分かれました。

その時代がルネサンスです。

ギリシャの人たちは、「神のところに上がっていくんだ」と頑張っていました。

それなのに、キリスト教は、「神が降りてくるから、あなたは知らなくていい。向上しなくていい。ただ悔い改めなさい」と説いていたわけです。

そのため聖書は一般の人たちが読めないようにラテン語で書かれていました。

それに対して、トマス・アクィナスが「人間は微力だけど、無力じゃない。有力でもない。できることを1％でもしよう」と、画期的なアイデアを出しました。

これは、キリスト教的には大きな一歩です。

「知ることは、信じることに反しない」となったのです。

「1段だけ上がろう」と、キリスト教の中で初めての改革が起こりました。

トマス・アクィナスは、宗教と哲学を合体させて宗教改革をしたのです。

それまで理論化されていなかったものを、ギリシャ哲学的に理論化したのです。

時代を生き抜くために

37 できることを、1％でもしよう。

Michel Eyquem de Montaigne

38

受け身ではなく、自発の自分を持つ。自由とは、他人の意見から解放されることだ。

モンテーニュ
1533〜1592
フランス

モンテーニュは、「神は偉いが、私もいる。受け身ではなく、自発の自分を持とう」と言いました。

「自分」を発見したのです。

ソクラテスも、「自分が面白い」と言っていました。

「自由」とは、「ほかの人の意見に振り回されない」ことです。

キリスト教では、聖書を読み、悔い改めることが大切にされてきました。

【ルネサンス】「自分が動くこと」で、世界を変えられる。

それが、モンテーニュの出現によって、「なるほど。一応、参考にさせていただきます」と、神の意見が唯一の正解ではなくなったのです。

モンテーニュは「自分とはなんだろう」と、エッセイを書き始めます。

本来、キリスト教では、「私はこれが面白い」「私はこう考えた」と、自分で考えてはいけませんでした。

考えるのは神様の役目だからです。

他者承認を求めるところから一気に自己主張へと切り替わることを「自我の目覚め」と言います。

これは、人間の子どもが大人に成長していくのと同じです。

親からすれば反抗期です。

「パパと洗濯物を一緒にしないで」とか「クソババア」と言い始めるのが自我の目覚めです。

反抗期は必要です。

反抗期は、自意識が目覚める時期です。
自意識と社会との折り合いをつけることが、ルネサンスの時代に起こりました。
他者承認は、どこでもあります。

他者の目ばかりを気にする行為としては、魔女狩りがその典型です。
美人は、「魔女だ」と言われてしまうのです。
当時は「お金持ちは地獄に落ちる」と言われていました。
だから寄付するのです。
お金持ちのメディチ家が寄付しているのは、地獄に落ちるのが怖いからです。
結果として、その寄付で芸術家が育ったのです。

時代を生き抜くために
38
他者承認を、求めない。

Blaise Pascal 39

個人とは、自分で考える人だ。

パスカル
1623〜1662
フランス

パスカルは、「個人」を発見しました。

それまでの生き方は団体旅行でした。

その中で**「おひとり様」という発想が生まれたのです。**

ここで初めて、団体旅行から個人旅行に変わったということです。

「個人」は発明品です。

当時は「個人ってあるんだ。そんなものが」という感覚です。

「個人って何よ」と自分で考え始めた人は、「神がこう言っている」「聖書にこう書いてある」ということで物事を判断しなくなりました。

キリスト教では、「今日のランチ、A定食とB定食、どっちにしますか」と聞かれると、「ちょっと待って」と、聖書を見て決めていたのです。

教会の偉い人から「今日は何にしてください」と決められていたものも、やがて自分で選ぶようになりました。

日本人の旅行は、いまだに修学旅行を抜け出せていません。

中には「自由にどうぞ」と言われると、旅行できない人がいます。

そういう人は、「みんなどこに行くんですか」「オススメは？」と聞いて、教えられたところに行きます。

旅行代理店の人に、「行程表をつくってください。それに従って行きますから」と言ったりします。

飛行機が欠航になると「どうしたらいいかわからない。ありえない」とクレームになります。

遅延やオーバーブッキングなどで予定変更になることは結構あります。

予定変更の時にどうするか考えるのが、個人です。

誰かに決めてもらう体制から、自分で考えることを始めたのがパスカルなのです。

これは画期的なことです。

人に決めてもらった方がラクだからです。

そのかわり、自由はありません。

個人になると、自己責任が生まれるのです。

「人間は考える葦である」の葦は、スカスカなもので川辺に生えている雑草です。

「葦の中には悪魔がいる」と言われています。

人魚（セイレーン）は悪い妖精です。

パスカルは人間を、セイレーンがいるような沼地にある葦と考えたのです。

「葦」とは「雑草でとるに足らないもの」という意味です。

「その葦でさえ考えているんだ」と主張しているのです。

時代を生き抜くために

39 修学旅行を、抜け出そう。

Martin Luther

40

制度化した時点で、堕落する。

マルティン・ルター
1483～1546
ドイツ

マルティン・ルター自身も、キリスト教をずっと信じていました。
その中で「原点の聖書に戻ろう」と考えたのです。

当時は、多くの人が聖書を読めないので、神父さんが翻訳して話していました。
神父さんの解釈の言いなりということです。
その聖書がラテン語からドイツ語に訳されました。
それでは、読めないものを読むという権利を持っていた家元は困ります。
家々でお父さんが聖書をドイツ語で読んで、ごはんを食べる前に説教するわけです。
家々で広島風お好み焼の味が違うように、聖書の解釈も家によって変わります。

「ちょっとそれ、教会と違うけど」となると、ドイツのお父さんの権利が強くなるのです。

家庭内で頑固オヤジが生まれたのはここからです。

その分、1人ひとりの家庭内での解釈が生まれました。

畑の野菜を、間の流通をスキップして店が直販するような形です。

1000年かけた制度化によって、お金持ちが免罪符を買うと罪が許されるようになっていました。

人々の中に「貧しい人は免罪符を買えないから罪が許されない。免罪符という制度はどうなの？」という気持ちがだんだん湧いてきました。

免罪符で入ったお金で、カトリックの教会は装飾が豪華になりました。

教会では、マリア様が中心になっています。

マリア様はイエスのお母さんです。

「主役はイエスじゃないの？　聖書に戻ろう、イエスに戻ろう」と言ったのがマルチン・ルターだったのです。

グーテンベルグが印刷機をつくると、聖書を大量に印刷できるようになりました。クラーナハの挿絵を入れて、みんなに読みやすくなり、聖書は世界一の書物となりました。

権威に惑わされず、お父さんが読んで解釈していいとなったのが宗教改革です。代理人の教会を飛ばして、ダイレクトにイエスと近づこうという形にしたのです。

時代を生き抜くために

40

権威に惑わされず、自分で考えよう。

41

Jean Calvin

働くことは、信じることだ。

ジャン・カルヴァン
1509〜1564
フランス〜スイス

ジャン・カルヴァンは、「お金を稼ぐことは悪と思われているフシがありますが、そんなことはありません。お金を貯めることが神への服従です。また、目的は寄付するためです。寄付すると世の中の役に立ちます」と考えました。

大金を稼ぐ人がいると、「悪いこととして、あいつばかり稼いで」と、お金持ち悪人説が出てきます。

お金持ちの人たちは、日本的に言えば税金をたくさん払うことによって社会奉仕ができます。

海外なら、慈善事業や寄付をすることができます。

「寄附をするために稼ぐ」という考え方は、神の信仰に反することではないという新

しい解釈が生まれたのです。

常に、哲学は拡大解釈できます。

解釈の違いを認め合えばいいのです。

「現実は変わっていないけれども、それをどう解釈していくか」と考えることが哲学です。

目の前にある現象はもう変えられません。

その時、解釈を変えることによって、不幸だったものが幸福になり、チャンスが生まれます。

これがカルヴァン派の考え方なのです。

時代を生き抜くために

41

寄付するために稼ごう。

42

Jean Calvin

天国に行く人は、決まっている。天国に行くのだから、天職を頑張る。

カルヴァン
1509～1564
フランス～スイス

カルヴァンが「天国に行く人は最初から決まっている」と、予定説を唱えました。「自分は天国と地獄のどちらか」と考える人は、強気です。「天国に行く人はもう決まっているんです」と言った瞬間に、ほとんどの人は、「ダメじゃない。身もふたもない」とガッカリします。

まだいいとも悪いとも言っていないのに、最初から諦めているのです。

謙虚な日本人は「ガッカリ派」が多いです。

「日本が一夫多妻になったらどう？」と聞くと、

「一夫一婦でも結婚できないのに、ダメだ」

「そんなのモテてるヤツに全部とられちゃう」

「4人に3人は結婚できないということ」

と、自分を結婚できない側にカウントするのです。

西洋人は、予定説に前向きです。

「天国に行く人はもう決まっています」と言われると、「ヤッター」と喜びます。

「あなたは天国に行く」とまだ言っていないのに、「ヤッター」と言えることが凄いです。

地中海のラテンの人は、「天国に行くと決まっているなら頑張る」「決まってる。うれしい。やっぱそうか」と、楽天的に考えるのです。


日本では、附属の中学から高校へ行く時に、
①サボる人
②頑張る人
の2通りに分かれます。

高校受験のためではなく、好きな勉強をガンガンする人が出てきます。
一方で、勉強しない人も出てきます。
どんな状況であろうが、両方の人がいることは仕方ありません。
「天職に全力でストイックに励もう」と言うのが、カルヴァンの予定説です。
予定説の話をすると、みんなのリアクションが面白いのです。

時代を生き抜くために

42

今している仕事を、天職にしよう。

Ignatius López de Loyola

43 頭でっかちにならず、人と違う行動をする。

イグナティウス・デ・ロヨラ
1491?〜1556
スペイン〜フランス〜イタリア

イグナティウス・デ・ロヨラとフランシスコ・ザビエルは、当時トップのパリ大学の神学部で、机を並べて勉強していました。

その頃、プロテスタントの勢いが凄く、カトリックは分が悪い状況でした。カトリックの話をすると、「え、カトリック？　古ッ」「今はプロテスタントだよ」と言われます。

ロックが流行している時に、「フォーク？　いいの、それで？」と言うような世界です。

カトリックのロヨラとザビエルは、「よし、オレたちは行動だよ」と考えました。

「こっちは頭でっかちにならずに、行動だよ」

「でも、今ヨーロッパのプロテスタントの勢いは凄くて、アルプス方向はほとんどプロテスタントにとられているけど、どうする？」

「だったら世界がある」

と、世界に出ることにしました。

フランシスコ・ザビエルは「おまえ、行けよ」と言われ、それで日本に来たのです。

ロヨラは良家の出身なので、地元にいた方が有利です。

ロヨラは現実的に物事を考えました。

元軍人なので、いろいろな戦略を立てて、マーケティングがうまいのです。


一方のザビエルは、家が貧乏なので、国内では出世できません。

当時は家柄で判断されていたからです。

「海外に行けば家柄は関係ないから」と、外国に出て、とうとう日本まで来たわけです。

見たことのない国へ来て、カトリックの教えを説くわけです。

それをまた日本人が「なるほど」と受け入れたことが凄いです。

そもそも日本人は流行が大好きです。

「オシャレ」と、食いついたのです。
当時、キリスト教禁教令が出たのは、爆発的に広がったからです。
ロヨラとザビエルは、とにかく行動派です。
彼らは動く哲学者だったのです。
今から500年前の時代に、それだけ行動派の哲学者がいたのです。
哲学とは考えることではなく、人と違う行動をすることなのです。

時代を生き抜くために

43

外に、飛び出そう。

Francis Bacon

44

思い込みではなく、実験と観察をする。

フランシス・ベーコン
1561〜1626
イギリス

フランシス・ベーコンは「知は力なり」と言いました。

「知」は「思い込み」の逆です。

教わったことではありません。

「実際に自分で実験して観察しよう」ということです。

これは、今までのルネサンス以前の中世のキリスト教にはなかった考え方です。

キリスト教の教えでは、実験はしなくていいものです。

「すべて神様が決めているから、観察もしなくていい。こういうものだから」という考え方です。

これは、会社の会議にも通じます。

部下が「これはどうでしょう」と企画を出すと、

「それは前にやってダメだった」

「いや、時代が変わってるから、もう1回やってみないとわからないじゃないですか」

「もう前にやってるから、おまえはウジウジ言うな。オレに逆らうのか」

という議論になります。

何事も、実際にしてみなければ、どうなるかわかりません。

「実践」は、結果がわかっていることをすることです。

「実践」ではなく、「実験」をすることです。

会議で通す方法は「いや、やってみないとわからないじゃないですか」ではなく、「たぶんダメだと思うけど、実験させてください」と言うことです。

「絶対いけますよ」ではありません。

「たぶんダメかもしれないけど、ひょっとしたら、ここは敢えてダメと知りつつ、実験させてください」と、小さく試してみます。

社運を賭けたり、「私のクビを賭けて」と言わないことです。
小さく試すことで、思い込みから抜け出して一歩前進できます。
近代科学は、そうして生まれてきたのです。
科学とは、自分の目で見て確かめる精神であり、理系という意味ではないのです。

時代を生き抜くために

44

結果のわかる実践より、結果のわからない実験をしよう。

René Descartes

45

自分の考えを、疑う。

デカルト
1596〜1650
フランス〜オランダ

デカルトは、近代の合理主義を生み出しました。

「すべてを疑おう」と言ったのです。

他人を疑うのではありません。

「自分はこう思う」と自分の信じていることを疑うことです。

「すべてを疑おう」と言われて、「人の言うことを疑おう」と捉えるのは間違いです。

それは普通にみんながしていることです。

デカルトが凄かったのは、「自分はこう思うけど、そうなのかな」と、自分に問い始めたことです。

これは近代人の目覚めです。

たとえば、ハリウッド映画は勧善懲悪で、悪を退治します。

ウルトラマンは、怪獣を倒したあと、「これでよかったのか」と悩み続けます。

だからウルトラマンは宇宙怪獣を倒さないで宇宙へ帰すのです。

浄瑠璃では、明智光秀の話も、信長を討ったあとに「信長を討ってよかったのか、よくなかったのか」と悩み続けます。

ハリウッド映画なら「ヤッター」で終わりです。

哲学は、自分に問いを出し続けることです。

「これでいいのか」「これでいいのか」と考え続けることで、人間は進歩します。

「しょうがないよ」で片づけないことが大切なのです。

時代を生き抜くために

45

人にではなく、自分にツッコもう。

46

John Locke

先天ではなく、教育と経験が、人をつくる。道徳よりも、理性が大切。

ジョン・ロック
1632〜1704
イギリス

イギリス人は、経験主義です。

「人間は白紙で生まれてくる。先祖の家柄もＤＮＡも関係ない」という考え方です。

先天ではなく、教育と経験が人をつくるという経験論です。

私は研修に行くと、「リーダーになる素質はそもそもあるんでしょうか。それとも後天的なものでしょうか」と、必ず聞かれます。

私が「教育です。先天はありません」と、即答すると、

「でも、若くしてリーダーになる人がいるじゃないですか」

「その人は早くリーダーの体験を始めただけです。保育園で仕切る子もいます」

というやりとりになります。

保育園では、1歳でも仕切る子がいます。

ゼロ歳児を守ろうとしたり、「あれは○○ちゃんのママ」と紹介する子がいるのです。

1歳からリーダーをしている人は、キャリアが長いのです。

それは、先天ではなく、後天的に学習したのです。

そうでなければ、教育はできません。

選抜なら、教育の意味がありません。

人を育てる人間は、教育と経験が人間を変えるという考え方に立つことです。

「先天と後天はどっちなんですか。エビデンスあるんですか」と聞かれて、「わからないけど、先天」と言うのは、教育者として情けないです。

一生懸命教えて「先天的になかったね」と言われたら、むなしいです。

どっちの説をとるかであって、エビデンスはありません。

ここで大切なことは、道徳より理性です。

道徳と理性は違うものです。

道徳よりも理性の方が、もっと幅が広いのです。

道徳は、その場で好かれる正しい方法です。

理性は、道徳に「いや、そうなってるけどさ、どうなんだろう」と、茶々を入れることです。

道徳はラクなのです。

決められたマニュアルに沿って、「こうすればいいんじゃない？」と答えを見つけられます。

理性に沿って「これはこうだけど、もっといい方法があるんじゃない？」「お言葉を返すようですけど」と言うと、「おまえ、空気読め」と怒られます。

空気を読まないことが、哲学なのです。

時代を生き抜くために 46 経験しよう。

Thomas Hobbes

47

人は利己的だけど、失敗を通して、理性が目覚める。

ホッブズ
1588〜1679
イギリス

ホッブズもイギリスの経験主義の人です。

ホッブズは「人間は利己的だ」と言いました。

利己的であることを1回認めてしまうのです。

「利己的か利他的かといったら、利己的ですよ」

「私もあなたもみんな利己的です」

「利己的ゆえに、必ず失敗します」

これで終わると身もふたもありません。

ホッブズは「人間は、すべての人が利己的で、失敗するけれども、そこから学ぶことができる。そして、失敗を通して理性が目覚める」と考えたのです。

理性ですら、持って生まれたものではありません。

「どうしたら人間は目覚めることができるか」という問いは、仏教的に言うと、「悟ることができるか」です。

その答えは「失敗すればいい」です。

人間は失敗した時に、「自分はちょっと天狗になっていたな」「調子に乗っていたな」「人に冷たいことをしたな」ということがわかります。

失敗したあと、「目覚める人」と「目覚めない人」に分かれるのです。

失敗しただけでは、目覚めることはできません。

「生まれた時に目覚める」ということもありません。

それは、「ただ生まれただけ」です。

大陸の方は、もう少し道徳寄りの考えです。

大陸でない方は、革新的な考え方の経験論です。

中心のヴァチカンからどれだけ距離が離れているかというところで、新しい発想が生まれます。

地政学的な問題です。
イギリスは、大陸から見れば、新興で野蛮な国です。
貴族は、征服者の末裔です。
ウィリアム征服王の時に家臣だった人たちが全部貴族になっているわけです。
それがまだ1000年続いています。

時代を生き抜くために

47

失敗して、目覚めよう。

David Hume

48 学んだ自分は、学ぶ前の自分とは別人だ。

ヒューム
1711〜1776
イギリス

ヒュームは、「学ぶ前の自分と学んだあとの自分は、別人だ」と、人々を勇気づけることを言いました。

岡本太郎さんは、パートナーの敏子さんに「今日、一緒に出かけるって約束したじゃないですか」と言われて、

「そんなことはどうだっていい」

「約束を破るんですか」

「オレは約束を破らない。ただ、昨日のオレと今日のオレは別人だから。オレは毎日生まれ変わるんだ」

と、反論しました。

人間は、学んでいれば毎日生まれ変わります。

本を読む前の自分と読んだあとの自分は、別人です。

これは勇気づけられます。

よく「生まれ変わりたい」「生まれ変わることができるのか」と言う人がいます。

人間の体は数年で細胞が全部入れかわります。

誰もがクローンなのです。

「クローンをどうするか」という問題ではなく、人間の体ですら細胞は全部入れかわっていて新品なのです。

記憶が残っているだけです。

記憶もうまくコピーして、いい思い出にすり変わったりします。

「人間は、持って生まれた身分や階級で決まっている」ではなく、「あなたが1人で頑張ればいいんだ」と考えることです。

私がTVのグルメ番組に出るようになって、母親に「僕のお箸の持ち方は違っているんじゃないですか。子どもの時に言ってくださいよ」と言うと、「気がついたら、自分で直したらええやん」のひと言で終わりました。

「すべての人にチャンスがある」という下克上です。

今頑張っていない人は、それも自己責任です。

人間が「自由」と「自己責任」をワンセットに獲得していくプロセスが哲学の歴史です。

あらゆる人は、学ぶことで昨日と違う自分になります。

登校した自分と下校する自分は違う人、それぐらい意識は画期的に変わります。

単に知識をのせていくことではありません。

学ぶ前の自分とまったく別人になれるのです。

時代を生き抜くために

48 学ぶことで、昨日と違う自分になろう。

49

Jean-Jacques Rousseau

個性を育てることが、教育だ。みんなと違うことは、素晴らしい。

ジャン・ジャック・ルソー
1712〜1778
フランス

フランスは、上から大人↓犬↓子どもの順番で考えます。
レストランにも、「犬は連れてきていいけど、子どもはダメ」という場合があります。
犬はしつけできても、子どもはしつけできないからです。
子どもは犬以下なのです。
そういう時代がずっと長く続きました。
母親は犬を飼っていて、子どもは育てないというのが貴族の家でもありました。
そのため、子どもには人格がないと言われていました。

ジャン・ジャック・ルソーは、自分も子ども時代に苦労しているので、「ひょっとしたら間違ってるかもしれないけど、子どもにも人格があるかもね」と言い始めました。

「子どもは犬以下だよ。虫だよ」と思っていた人たちは、みんなビックリしました。

もちろん、最初から人格があるわけではありません。

「教育すれば、人格を与えることができるんじゃないか」と言ったのが、『エミール』という教育論の本です。

ルソーは、教育について2つのことを言いました。

1つは、「教育とは、生き延びることができる子どもをつくること」です。

アイスランドの氷の上でも、サハラ砂漠の焼けた土の上でも生き延びることができる子どもを育てることです。

今のセリフは、倫社の八田先生のモノマネで覚えているのでスラスラと出ます。

もう1つは、**「教育とは個性を育てること」**です。

これは画期的です。

フランス革命前のマリー・アントワネットの時代にこんなことを言うのは、とんでもなく進んでいます。

イギリスやアメリカでは、**産業革命以降、「教育とは、流れ作業を1日8時間できるようになること」**でした。

それまで、人間の集中力は8時間も続きませんでした。

「マニュアルを読めて、8時間きちんと働いて、遅刻しないで来るようにする」というのは、戦後の日本教育です。

まじめな人を育てようとしたのです。

フランス革命の前の時代に、ジャン・ジャック・ルソーは、「みんなと違うようにすることが教育である」と言いました。

戦後の日本教育は、「みんなと同じようにすること」を目標にしました。

その結果として、マイノリティーでつらい思いをしたり、登校拒否になるのです。

ジャン・ジャック・ルソーの時代は、王制から共和制になる気分の走りがありました。

人々が均一化してきたのは道徳によるものです。

「こういうことはしてはいけない」

「会議でこういうことは言ってはいけない」
「会食で上司と違うメニューを頼んではいけない」
というのは、暗黙の了解という道徳です。
雇用機会均等法で女性社員が入ってくると、パフェを頼む人があらわれました。
「パフェ？　ありえないだろう」と、男性社員はビックリしました。
たしかに、メニューにパフェはあります。
それまでは、上司が「コーヒー」と言えば、「私も」「私も」となるのが通常でした。
パフェを頼んだ女性社員は、「好きなものを頼んでいいと言ったじゃないですか」
とシンプルに考えています。
これは会社が変わったポイントです。
人々が均一化したのは、人間社会が文明化したからです。
だからこそ、ルソーは「自然に帰れ」と言ったのです。
自然の中で子どもたちはオリジナリティを持ちます。
後に芸術家になる人は、友達とそりが合わなくて、山の中で1人で遊んでいた子が個性化しただけです。

学校という場所は、個性を与える場であって、奪う場になってはいけないのです。

それは、教会も同じです。

貴族は、してはいけないことだらけのしがらみの中にいました。

苦労していたマリー・アントワネットは、ジャン・ジャック・ルソーの考え方にハマりました。

それで、ベルサイユ宮殿は堅苦しいからと、自分用のプチトリアノン宮殿をつくり、農村暮らしを始めました。

そこでは役者さんを雇って、農村暮らしごっこをさせました。

実際の農民ではないところが凄いです。

お金持ちのプチぜいたくで、プチ農村気分を味わったのです。

時代を生き抜くために

49 個性を、育てよう。

第4章

「学ぶこと」で、人は成長できる。

産業革命

Immanuel Kant

50

幸福になるために行動するのではない。

カント
1724〜1804
ドイツ

カントは、無条件主義を唱えました。

「人をだましたら、商いは成功しないよ」というのは、条件主義です。

「商売が成功する・しないにかかわらず、人をだましてはダメ」というのが無条件主義です。

いつの間にか、道徳が条件主義に偏っていったのです。

「こんなことをしていると、友達がいなくなるよ」

「こんなことをしていると、おまえは一生童貞だよ」

「こんなことをしていると、一生貧乏だよ」

「○○のためだから△△しなければいけない」

という条件は必要ありません。

してはいけないことは、してはいけないのです。

そうしないと、「人が見ているから、きちんとする。見ていないからしない」という人間になります。

見返りを求めて行動することに対して、見返りからの解放を唱えたのがカントです。

カントは、まじめで堅苦しいことを言っているイメージがあります。

無条件主義は、「なるほどね」と理解しやすいです。

これは広告業界でもあります。

たとえば、「出世するためには美術を勉強しろ」と、上司に言われました。

それは楽しくありません。

この本も、「哲学すると出世できる」では、条件つきになります。

この本が役に立つか立たないかは、わかりません。

すぐ役に立つことをしようとすると、役に立つのはほんの少しです。

「こんなの役に立つのかね」ということが、いつの間にか、回り回って大きく役に立ちます。

たとえ役に立たなくても、それによって人生が豊かになるということが大切です。

本当に美術が好きな人で、学校の勉強が面白くなかったのは、テストのために暗記しなければならないからです。

大人になって美術館を楽しめるのは、テストに出ないからです。

「出世のため」と思った瞬間に、楽しめません。

「せっかくテストから解放されたのに、お金儲けとか成功の条件に縛られるのは、つまらないよ」と言ったのがカントなのです。

時代を生き抜くために
50
見返りのないことを、しよう。

51

Georg Wilhelm Friedrich Hegel

矛盾を恐れない。矛盾から、成長が生まれる。

ヘーゲル
1770〜1831
ドイツ

世の中のことには、すべて矛盾があります。


上司が言うことも、お客様が言うことも、すべて矛盾しています。

たとえば、「ひとり旅のパックツアーを探しているんですけど」と言う人がいます。

それはパックツアーではありません。

ひとり旅は、１人でするものです。

「ひとり旅をしたいけど、交通機関はみんなと一緒でないと心配だから」と、ひとり旅のパックツアーを探すのです。

「脂身のないカルビが食べたい」

「辛くないカレーが食べたい」

「辛くない担々麺が食べたい」

というのも、矛盾したことを言っています。

世の中の矛盾から成長したり、新しいものが生み出されます。

「矛盾を楽しんでいくことが大切だ」と言ったのです。

世の中に矛盾していないものは、小学校の教科書までです。

学校を卒業して、社会に出て、みんなが会社に行くのがイヤになるのは、上司の言うことがコロコロ変わるからです。

部下は上司に対して「矛盾している」と言います。

その上司には、さらに上司がいるのです。

そう考えると、上司の意見がコロコロ変わるのは当たり前です。

私が広告代理店で勉強したことは、「世の中は矛盾に満ちている。これを楽しむしかない」ということです。

だからこそ、人生は面白いのです。

矛盾がなく、「こうしたら、こうなる」と想像がつく世の中では、つまらないです。

女性の気持ちは矛盾の塊です。
雑誌の中にダイエットとスイーツが両方出ているのは、すでに矛盾しています。
そこに、人間は矛盾した生き物であるということがあらわれています。
割り切れるものの中に、進化はありません。
人間は、安全を求めながらリスクも大好きです。
どちらも大好きだから、人間は進化するのです。

時代を生き抜くために

51 矛盾を、楽しもう。

Karl Marx

52

物質的に快楽を集めても、精神的に幸福になるわけではない。

カール・マルクス
1818~1883
ドイツ~イギリス

産業革命が起こると、仲間の中からお金持ちになる人が出てきました。

一方で、元仲間のお金持ちに使われる人が出てきました。

今までは同じグループだった農民出身の人たちが、お金持ちになる人と、農民以下の労働者に分かれてしまいました。

結局、**「技術という物質文明は不幸を生んでいるのではないか。精神的幸福を求めるために、1回、文明を壊した方がいい」**というところまでいきます。

社会主義思想は、これを利用していくのです。

マルクスは、良家のお坊ちゃんです。

そういう人ほど、精神的幸福を考えます。

自分は貧乏の中にいないのです。

「これはおかしい」と、社会主義に走る人は、意外にお坊ちゃんが多いのです。

美術の世界でも、お坊ちゃんで稼いでいる人が「これはおかしい」と考えて社会主義に入っていくのです。

時代とともに、物質ではなく精神に、また何回目かのサイクルでらせん状に戻っていくのです。

時代を生き抜くために

52

精神的幸福を求めよう。

53 John Stuart Mill

革命よりも、改良が凄い。教育とは、長期的改良だ。

ジョン・スチュアート・ミル
1806〜1873
イギリス

マルクスの考えをもとに、「革命だ」という意見が出てくると、「いや、革命じゃないよ」と言ったのが、ジョン・スチュアート・ミルです。

「革命じゃないよ。改良しよう」というのは、サラリーマン的には好まれます。

「革命ではダメだ。ハードランディングではなく、ソフトランディングで穏便に」

「ちゃぶ台をひっくり返すんじゃなくて、中をとっていこう」

という穏健派は、きわめて日本人的です。

実際は、革命ではなく、トヨタ式改善のような改良がいいのです。

しかも、**改良を1回で終わらせないで、長期的に続けていくことが大切です。**

これを「教育」と言います。

教育とは、「長期的に改良していくこと」です。

革命は成功しません。


フランス革命がよい例です。

フランス革命は、革命を起こしたあと、結局戻りました。

革命は、「その後、どうしたらいいか」という絵がないのです。

ただ破壊しただけです。

それで、共和制になったのに、「前の時代がよかったね」と、王政復古してしまうのです。

その間、フランスは産業革命に乗り遅れました。

フランス革命をして、すったもんだしている間に、イギリスにドーンと差をつけられました。

イギリスは産業革命を起こしました。

その産業革命をマネしたのがドイツです。

フランスは産業革命にずっと遅れて、世界の歴史からドーンと遅れました。

ちゃぶ台返しをしたあと、散らかったままで、あとはお任せといった革命では、無意味です。

革命より、改良を続けた方がいいのです。

時代を生き抜くために

53

改良し続けよう。

54 天才は、土壌から生まれる。

John Stuart Mill

ジョン・スチュアート・ミル
1806〜1873
イギリス

ジョン・スチュアート・ミルは、「天才から学ぼう」と言いました。

つい「天才は、持って生まれたものがある人で、自分たちとは違う」と思いがちです。

その中で、ミルは**「天才がしている工夫から、凡人が学ぶべきことはたくさんある。天才の工夫から学んでいくのが教育だ」**と考えたのです。

天才も、天才的なことをしているのではなく、コツコツした工夫を積み重ねています。

その工夫は凡人がマネするべき1つのお手本です。

これはAIの考え方です。

今日のAIは、プロフェッショナルな職人さんがしていることを読み込ませて学習させる形にしているのです。

天才は、土壌から生まれます。

土壌とは、ＤＮＡです。

その土地の文化です。

ＤＮＡは土地の中に残ります。

私の出身は堺です。

堺は南蛮貿易をしていたスピリット、エンタープライズ精神があります。

進取の気性があり、外国人が来ても多様性を受け入れ、火縄銃をつくるような匠の力を持っています。

堺の土壌に職人魂があるからこそ、千利休、与謝野晶子、河口慧海《えかい》などが生まれたりするのです。

時代を生き抜くために

54 天才から学ぶべきことを学ぼう。

55 George Bernard Shaw

教育で、人は生まれ変わる。

バーナード・ショウ
1856〜1950 アイルランド〜イギリス

バーナード・ショウは『マイ・フェア・レディ』の原作『ピグマリオン』の作者です。
バーナード・ショウのいたフェビアン協会は、世界で初めて社会主義を訴えました。
社会主義はドイツやロシアではなく、イギリスで生まれました。
ここが面白いのです。
イギリスは産業革命で先行しているので、最初に労働問題が起こりました。
『マイ・フェア・レディ』は、実際は社会主義問題を問うています。
主人公のイライザが下層にいて、フラワーガールをしていました。
この子を教育できるのかというのが『マイ・フェア・レディ』のテーマです。
「この子を教育で直してみせる」と、ヒギンズ教授がチャレンジします。

それによって、教育で人間を生まれ変わらせることができると証明したのです。

お金持ちはそもそも教育を受けられます。

フェビアン協会は、貧しい人たちにも教育を受けるチャンスを与えるために「福祉は社会でやっていこう」と言ったのです。

現代では当たり前です。

昔は、政府ではなく貴族が福祉をしていました。

ノブレス・オブリージュという考え方は、「福祉は貴族の係」という意味です。

当時、貴族がしていたチャリティーの仕事を社会でしようとしたのが北欧なのです。

バーナード・ショウの考え方を一番実践したのが北欧です。

面白いことに、ショウの考え方はイギリスで生まれて、北欧で成功しました。

時代を生き抜くために

55 お金をもらうより、知恵をもらおう。

第5章

「面白がること」が、未来をつくる。

現代

Søren Aabye Kierkegaard

56

人生は、有限だから素晴らしい。無限だったら、つまらない。

キルケゴール
1813〜1855
デンマーク

産業革命以降と現代の分かれ目は、第1次世界大戦です。

日本は第1次世界大戦前後に意識があまり変わっていません。

恩恵だけ得て、被害は受けていないのでショックもありません。

ヨーロッパは、第1次世界大戦で、すべての価値観がひっくり返りました。

日本の価値観がひっくり返ったのは太平洋戦争の時です。

ヨーロッパでは、第1次世界大戦の被害があまりにも大きかったのです。

「科学だ、科学だ」と、科学礼賛主義でお金持ちが生まれて兵器もつくられました。

結局、**「科学は幸せなの？」という疑問が生まれていたわけです。**

この時に脚光を浴びたのがキルケゴールの考え方です。

それは、かつてルネサンスの時に、「キリスト教ってどうなの？」と疑問に思ったのと同じです。

その後に起こった第1次世界大戦がその考えにとどめを刺しました。

第1次世界大戦で半端でない規模の戦争が初めて起こり、大ぜいの人が亡くなりました。

第1次世界大戦以前の戦争は、スポーツに近かったのです。

「戦争、始め！」と始めて1時間戦って、「終了！」で終わると、お互いのけが人を片づけて、そのまま帰るスポーツです。

日本でも、かつて源氏と平家の貴族戦争がありました。

それが国家総力戦になると、毒ガスが登場しました。

毒ガスは、皆殺しです。

それまでの戦争は、太鼓を叩きながら来て、「始め！」と言って、「終了！」でノーサイドです。

「うちの方が強い」と強さを競う戦いでした。

それが、情け容赦ない毒ガスと飛行機、戦車による攻撃が始まると、「ちょっとシャレにならないよ」「戦争の風情がなくなったな」「人生は無限じゃないんだな」と、突然、死を意識するようになりました。

「科学は万能と言っていたけど、結局、不幸の方を多く生み出す。有限だ」と考え始めたのです。

それに対して、詩人のキルケゴールは、『死に至る病』の中で「有限だから美しいのだ」と言い出しました。

カラオケで一番盛り上がるのは、「あと10分です」と言われてからです。

その時に「あ、この歌を歌うの忘れてた」と思い出すのです。

「あと1人1曲ね」「途中でつまらない歌を歌っちゃったよ。忘れてた、これ」と、必死になるのは有限だからです。

カラオケで朝まで泊まる時は、あまり歌いません。

無限だから楽しくないのです。
周りのカラオケがうるさいと思ったりします。
カラオケは、最初のうちは、みんなに好かれるための歌を歌います。
最後の1曲は、嫌われてもいいから本当に自分の好きな歌を歌います。
これが実存主義なのです。

時代を生き抜くために

56

社会に流されないで、自己責任で生きよう。

Arthur Schopenhauer 57

生きることは苦しい。でも、意志が未来をつくる。

ショーペンハウエル
1788～1860 ドイツ

ショーペンハウエルは「生きることは苦しいよ」と言いました。

「何か面白い仕事ないですか」と聞く新入社員がいます。

その時、私は「ない。面白い仕事を探して就活したら見つからないよ」と、アドバイスします。

仕事は全部つまらないのです。

まず、ここから入ることです。

どこかに面白い仕事があると思う人は、転職を繰り返します。

「どんな仕事もつまらない」と、早く気づくことです。

どこかに物わかりのいい上司を探そうなんて、ムリです。

上司は、物わかりが悪いものなのです。

「赤ちゃんは泣くのが仕事」「子どもは熱を出すもの」と同じです。

上司は、重箱の隅をほじくり返すのが仕事です。

「仕事がつまらないのは当たり前で、そんなことはいちいち言わないでつまらない仕事をいかに楽しむかが大切だ」と言ったのが、ショーペンハウエルです。

未来をつくるのは意志です。

「意志」とは「面白がること」です。

「楽しむこと」です。

哲学を楽しめばいいのです。

たとえ哲学者から怒られても、「だって、私は哲学者じゃないもん」と開き直ればいいのです。

今まで「生きることは苦しい」とは言えませんでした。

「仕事は楽しいぞ」というのはタテマエです。

就活生には、「面白いぞ。うちの会社に来い」とウソをつくのです。

職人の家は、最初から「オレの仕事は継ぐな」と言います。

だからこそ続くのです。

楽しそうな会社のパンフレットをつくり、映像を見せて、説明会をして、リクルーティングしても、辞められてしまうことがあります。

最初から「仕事はつまらない」と言ってしまえばいいのです。

私は就職をする時、父親に「何するの？」と聞かれました。

私が「映画をやろうと思う」と答えると、父親は「映画は儲かれへんど。でも、おもろいな」と言ってくれました。

こういうアドバイスがうれしいのです。

時代を生き抜くために

57 楽しい仕事を探すより、仕事を楽しもう。

Martin Heidegger

58 不安が、エネルギーを生む。

ハイデッガー
1889〜1976
ドイツ

ハイデッガーは、「不安が人間のエネルギーだ」と言ったのです。

天才建築家・安藤忠雄さんは、臓器を5つとっても元気いっぱいです。

「なんでそんなに元気なんですか」と聞かれると、「忙しくて死んでいるヒマがない」と言われました。

安藤さんが「臓器を5つとって生きている人はいるんですか」と担当医に聞くと、「今まで症例がない。初めてです」と言われたそうです。

それなのに手術を受けました。

今では、「臓器を5つとって生きている人の運をいただきたい」と、中国から依頼がどんどん来ています。

安藤さんが「私の作品を見たことがあるんですか」と聞くと、「知らない」と言われるそうです。

「臓器を5つとった人の建築した建物」ということで運気が上がると宣伝したりするのが中国の1つのロジックなのです。

安藤さんは、「**『不安がエネルギーを生む』**という哲学をイサム・ノグチから教わった」と言っていました。

「不安だ、不安だ」と言いつつ、安心したらそれで終わりなのです。

不安があるから、そこからエネルギーが生まれます。

安心するとエネルギーは生まれません。

中には、不安を取り除こうとする哲学もあります。

不安がエネルギーを生むと考えると、「なんで不安を捨ててるの？　そこが一番おいしいのに」と不思議です。

人間にとって、不安は大切なものなのです。

時代を生き抜くために

58

不安をエネルギーにしよう。

59

Karl Theodor Jaspers

苦しみに、体当たりすることで、自分に目覚める。

ヤスパース
1883〜1969
ドイツ〜スイス

自分探しをするために、インドに行く人がいます。

インドになぜ行くのか。

実際は、**インドに行くと大変だからです。**

日本では考えられないことがいろいろあります。

大変なことに出遭った時、それを乗り越えるためには、苦しみに体当たりしなければなりません。

インドに行くと、すぐお腹を壊します。

半端でなくお腹を壊すのです。

川では、ご飯をつくる人、洗濯をする人がいて、その横をスーッとご遺体が流れていきます。

苦しみから逃げないことです。

どうしたら苦しみを避けられるかと考えると、余計苦しみから追いかけられます。

苦しみに体当たりしていった時に、「自分はこうなんだな」とわかります。

そういう意味で、「自分に目覚める」ことができます。

サラリーマンでがんじがらめの仕事をしていると自分自身に目覚められず、もっと好きなことをした方が自分に目覚めると思うのは、逆です。

ブラックは、逃げた時点で、もっとブラックになります。

お化けから逃げた時点で怖くなるのと同じです。

サラリーマンで毎日苦しめられているからこそ、目覚めるチャンスが生まれるのです。

時代を生き抜くために

59 体当たりしよう。

60

Friedrich Wilhelm Nietzsche

プレッシャーが、最高の幸福だ。目先の利益という奴隷の幸福から、克服する超人の充実感へ。

ニーチェ
1844〜1900
ドイツ

ニーチェは、「神は死んだ」と言いました。

この時代は、不安でプレッシャーがあったり、寿命があることにみんな気づいてきました。

産業革命の時代にあった科学万能の希望が、もはやなくなってきたのです。

そんな中で、勇気づける生き方を考えているのが、この時代の哲学です。

「プレッシャーが幸福だ」というのは、アスリートの考え方です。

アスリートはプレッシャーが一番楽しいと言います。

競技前はメチャクチャ緊張します。

「楽しむ」イコール「プレッシャーがないこと」ではありません。
プレッシャーがあることが、その人の楽しみにつながります。
目先の利益の奴隷から解放されようとするからです。
目先の利益に飛びつくのが奴隷です。
この時代は、**「奴隷」から「大衆」という言葉に変わりました。**
「私は奴隷じゃないよ。大衆だよ」と言っても、庶民という意味では同じです。
そこで、「超人になろう」という発想が生まれました。
超人は、克服した人ではありません。
克服しようとする人です。
「私は哲学を知らないんです」と言う人は、哲学を知ろうとしていません。
「知らない」のと「知ろうとしていない」のでは、まったく違います。
何か勉強しようとする人は、できていなくても、その時点で超人です。
思い切り青春論です。
受験に通るか、通らないかではありません。

試験を受けに行くということがすべてです。

フルマラソンに申し込む人も凄いです。

ホンネでは走りたくない人は「抽せんで、外れてくれ」と祈ります。

外れたら、走らない言いわけができるからです。

抽せんで当たって、スタートラインに行くのもプレッシャーです。

フルマラソンの山場は、最後まで走り切ることではなく、朝、会場に行くかどうかです。

お腹が痛くなってほしいという人の気持ちもわかります。

プレッシャーを感じても、チャレンジすることが素晴らしいのです。

時代を生き抜くために

60

「克服しよう」としよう。

Romain Rolland
61
どん底で、人間性は向上する。天才とは、熱中する人のことだ。

ロマン・ロラン
1866〜1944
フランス

私が倫社の八田先生に授業をお願いした『ジャン・クリストフ』の作者はロマン・ロランです。

小説家の彼は、天才がどういうことをしてきたかを研究しました。

研究対象は、トルストイとベートーヴェンとミケランジェロの3人です。

トルストイは、お金持ちの家の出身で、奥さんの不倫など、紆余曲折を経ている人です。

「人のために何かしていこう」と人道主義を考え出し、頑張りました。

ベートーヴェンも凄く苦労しています。

最後は耳が聞こえなくなっても作曲を続けるという強い精神の持ち主です。

ミケランジェロも、天才ゆえに仕事の依頼が多すぎた苦労人です。

偉人伝に出ている天才は、ハッピーなのではなく、人よりたくさんの才能を持っていて、人よりたくさん苦労した人です。

ロマン・ロランは「人間はどん底で成長する」と定義しました。


私が子どもの時に見た花登筺《はなとこばこ》のドラマ『細うで繁盛記』は、どん底に追い詰められて、成り上がっていく話です。

手塚治虫さんのマンガでも、主人公はどん底に落ちます。

人間は、上り坂で成長するのではなく、どん底で生まれ変わります。

生まれ変わる入口はどん底にあります。


天才とは、熱中する人のことです。

才能がある人ではありません。

才能のあるなしにかかわらず、熱中したり、没頭したり、我を忘れます。

我を忘れるということは、他者評価は気にしません。

これが儲かるのかどうかという目先の利益も関係ありません。

「ちょっとすみません、忙しいので」と、時間も考えません。

「なかなか時間がないんです。今度、時間ができたらしようと思うんです」と言う人は、熱中していません。

熱中とは、「時間がないのにすること」です。

「今、そんなことしていちゃダメでしょう」ということをしているのが熱中です。

天才になりたいと思うなら、熱中すればいいのです。

時代を生き抜くために

61 熱中しよう。

62

John Dewey

考え方が正しいかどうかは、行動してわかる。知恵と道具は、生活に使って意義がある。

ジョン・デューイ
1859〜1952
アメリカ合衆国

アメリカ人のジョン・デューイは、凄く合理的な考え方をします。

「その考えが正しいか間違っているかは、ここで議論してもわからない。とりあえずやってみようよ」というのが、デューイのプラグマティズムの考え方です。

「プラグマ」は、ギリシャ語で「行動する」という意味です。

「どんな知恵も道具だ。道具だったら使わないと意味がない。飾っておいてもダメだ」というのは、日本の茶器の美意識と同じです。

たとえば、バカラのグラスを飾っているだけの人がいます。

高いモノを飾って使わないで、安いモノを使っているのでは意味がありません。

宝塚のあるトップスターが「それを悟ったのは、阪神大震災です」と言っていました。

震災の時に、上に飾っていた高価な食器が全部落ちて、下のほうに置いていた毎日使っている食器は割れなかったそうです。

「そういうこともあるから、高価なモノも使わなくちゃダメだ」と言っていました。

日本人は、勉強して満足しがちです。

セミナーでノートに書いたことも、日常生活で試せばいいのです。

知っていて試さないのはもったいないのです。

時代を生き抜くために

62

勉強したことを、即試してみよう。

John Dewey 63

神がいるかどうかより、いるとした方が安らぐ。

ジョン・デューイ
1859〜1952
アメリカ合衆国

哲学には、「神は存在するのかしないのか」「神を信じるのか、信じないのか」という議論が常にあります。

ジョン・デューイは、「いるとした方がいいんじゃない？」と言いました。

サラリーマン的な発想です。

「いるとした方が、つじつまが合ってラクだ。いるかいないかより、いるにしておこうよ」と考えたのです。

これは、「Aにするか、Bにするか、**決断を迷った時は、自分が決めた方で成功するように死ぬほど努力する**」というアメリカ人の考え方と同じです。

「神がいないというのはつらいから、神を味方にして、天国に行くことにしておいてもらって頑張る」という現実主義です。

現実主義なのに、「神様はいるとしておこう」と考えるのです。

これは神よりも上位にいる考え方です。

この話を初めて聞いても、すっと納得できるのは、我々が、ジョン・デューイの思想の流れの中に知らず知らずのうちに入っているからです。

極めて大人の事情による考え方です。

広告代理店は、社会の中でも最も大人の事情の世界です。

これをうまく使っていけばいいのです。

白か黒かで分けるのもいいですが、代理店はグレーを持っています。

グレーがあることで、かなりラクになります。

人間が強く生きていけます。

苦しまないで済むということです。

白黒どちらかに決めなくていいのです。

グレーに後ろめたさを感じる必要はありません。
グレーの中にすべての色があるというのが、日本の美意識なのです。

時代を生き抜くために

63

白黒を、決めない。

Charles Sanders Peirce

64 正しいものは1つもなく、すべては仮説。

パース
1839〜1914
アメリカ合衆国

パースは、「正しいものは1つもなく、すべては仮説」と唱えました。
そう考えると、ラクになります。
つらいのは、「間違っているんじゃないか」と、常に考えることです。
だからといって、「真実はないから」と探さなくていいわけではありません。
毎日、昨日よりも今日、今日よりも明日、アップデートした仮説を出すことです。
仮説が進化するのは、間違えた時です。
「これはないな」「これはないな」と、実験するのと同じです。
私が『面接の達人』でしたのは実験です。

最初は、面接に通ろうとばかりしていました。

それが途中から変わったのです。

「どこの会社でも通る方程式を編み出そう」と考えて、意識は面接官の上位に立ちました。

それまでは、「なんとか通してもらおう」と思って、面接に行っていました。

「どんな面接官が来ても通用する方法を編み出してやれ」と変わった瞬間に、上位概念に変わりました。

これが哲学です。

同じ土俵では戦いません。

上の土俵に行くのです。

ある出版社で、面接室に入って「今日はひとつお手やわらかにお願いします」と言って座りました。

すると、面接官に「君は失敬だ」と言われました。

その時の私は「これはないんだな」と、いたって冷静です。

ないということがわかったわけです。
「これはない」とわかることは大切なことです。
「あるのかな、ないのかな」と、わからない状態は一番不安です。
「これはない」とわかることは、自信になるのです。
実験する側は、間違いと正解のどちらに転んでもＯＫでいられます。
間違えた時に進化できるのが「可謬主義《かびゅう》」です。
可謬主義は、間違いをＯＫとする主義なのです。

時代を生き抜くために
64
間違えることを、恐れない。

Charles Sanders Peirce

65

仮説は、間違えることで、進化する。

パース
1839〜1914
アメリカ合衆国

料理は、可謬《かびゅう》主義です。

失敗した時、捨てなくていい。

修正すれば、もっと良くなるのです。

「トーストは2分でできる」というのを人から教わるのは、ただマニュアルを覚えただけです。

マニュアルをつくった人間は、私が『面接の達人』をつくったように、「2分30秒は黒焦げになる。そうすると、ギリギリが2分20秒だ」ということを実験から学びます。

「1分半だと白いままで冷たい」ということもわかります。

「黒焦げになるギリギリはどこ」というのは、黒焦げにしてみないとわかりません。

ゴルフも、パターはどこまで行ったらオーバーするかは、オーバーしながら覚える必要があります。

ボールを手前で止める打ち方では、永遠にわかりません。

アメリカ人は、ベンチャーで失敗しても、まるで成功したような顔をします。

「これがないということがわかりました」と、何億円を損しても全然平気な顔です。

「私は間違いを犯しました」と、失敗がはっきりわかったからです。

ヨーロッパが凄く内政重視になったあと、アメリカが元気になりました。

ナチスドイツが、間違えることで進化すると考える人たちをうまくアメリカに追いやってくれたので、アメリカに自由が生まれました。

アメリカとしては、ナチスドイツのおかげで進化したのです。

時代を生き抜くために

65 間違えながら、進化しよう。

José Ortega y Gasset 66

相手の自由を認めることが、寛容だ。

オルテガ
1883〜1955
スペイン

オルテガの時代に「大衆」が新しく生まれました。
『大衆の反逆』はオルテガの著書です。
「大衆」とは、「多数派が好きな人」です。
多数派が好きな人は、少数派が嫌いです。
とにかく自分が常に多数派でありたいからと、右往左往して流行を追いかけます。
少数派に対しては不寛容になります。
マイノリティーに不寛容な人たちは、大衆なのです。
トップの人ではありません。

「寛容」とは、「相手の自由を認めること」です。

上司のいる席で1人でパフェを頼んでも、「この店、そんなのあったんだ。パフェいいな」と考えられることが寛容です。

「君、空気を読めよ。KYだ」と言う人は、不寛容です。

多数派でいるには、今みんながどちらに向かっているか、常にビクビクしていなければなりません。

周りをキョロキョロしていると、自分の頼みたいものがわからなくなります。

結局、自分の好きなものもわからなくなるのです。

大衆になることは、自由を放棄するということです。

自由を放棄した心地よさを感じ、流行に身を委ねます。

そして、少数派は徹底的に叩き潰します。

時には、「死ね」と言ってしまいます。

そこに議論はありません。

「拳より尻を持とう」というのは、「まあ座って話そう」ということです。
お茶の世界では、「まあお茶でも飲んでいけ」が「話そう」ということです。
大衆は、伝統が嫌いです。
過去なんか関係ありません。
過去が嫌いだから過激になるのです。
しかも、大衆は、心の中では大衆を軽べつしています。
それは自分自身を否定することです。
違う意見を拒否するので、余計不安になります。

大衆を抜け出すためには、少数派になることです。
ほかの人の自由を認めることで、自分が自由になります。
自分が自由になりたいなら、ほかの人の自由を認めてあげることです。
自分が自由になるために、ほかの人を不自由にすると、結果として自分が縛られます。
SMは、SがMに縛られている状況です。

大変なのです。
奴隷を持つと、主人でいなければなりません。
Sになることは、奴隷の奴隷になることなのです。

時代を生き抜くために

66 少数派になろう。

67

Jean-Paul Charles Aymard Sartre

人生の意味を見つけるには、自分を投げ入れることだ。

サルトル
1905〜1980
フランス

サルトルは、「人生の意味がわからない。なんのために生きているんですか」と聞かれて、「座っていてもわからないよ。自分をプロジェクトする（投げ入れる）ことだ」と言いました。

これを「投企」と言います。

株を買う「投機」とは違います。

私は、「運命はあるんですか」と聞かれると、**「運命なんかそもそもないよ。運命は自分でつくるものだ」**とアドバイスします。

「運命の人を探している」と言う人には、「いないよ」と教えます。

運命にこだわることは、楽しい仕事を探すのと同じです。

「あなたは運命の人だから、ひとつよろしくお願いします」と、自分で決めればいいのです。

その人を「運命の人」につくり上げます。

誰かがつくった運命で、自分の好みでない時は困ります。

そんなものを信じる必要はありません。

未来社会では「あなたの運命の人はこの人です」と、ＡＩが決めます。

ＡＩはいろいろデータを持っていて、「あなたにはこの人が合う」とマッチングしてくれます。

ＡＩの判断は、そこそこ合うのです。

本当の運命の人は、「最もこういう人がタイプじゃないんだよね」という人です。

タイプの人を好きになっても、運命の人とは違います。

「こんなヤツとつき合う人がいるのか」という相手を好きになるのが、運命です。

効率的でないところに愛があるのです。

時代を生き抜くために

67

運命は、自分でつくろう。

68

Claude Lévi-Strauss

進歩が、幸福ではない。

レヴィ・ストロース
1908〜2009
フランス

レヴィ・ストロースは、社会人類学者です。
未開民族のところに行き、神話を研究して、「構造主義」を唱えました。
昔から人々は、過去は遅れていて、未来は進んでいるという幻想を描いていました。

私が子どもの頃、『少年マガジン』の口絵には「未来社会」「明るい21世紀」と書かれていました。

「21世紀になると42歳か。もう歳だな」と思っていたら、知らないうちに2020年になっていました。

「夢のリニアモーターカー」には、まだ届いていません。

２０００年にはリニアモーターカーで東京―新大阪を往復できると思っていたのです。

レヴィ・ストロースは、「右肩上がりの進歩が幸せだというのは違うよ」と言いました。

未開民族のところに行って、「幸せだな、これ」と感じたからです。

そこで「進むってどうなの？　幸せってどうなの？」と、改めて考えたのです。

サラリーマンは、「右肩上がり」という言葉が好きです。

幸せを求めて、右肩上がりを目指します。

右肩上がりでなくなった時には、なんとか右肩上がりに戻そうとします。

「幸せになるために、右肩上がりに戻す必要はない」と考えたのが、レヴィ・ストロースなのです。

時代を生き抜くために

68　右肩上がりに頼らない幸福を探そう。

Jacques Derrida

69 社会は、現実ではなく、幻想だ。

ジャック・デリダ
1930〜2004
フランス

ジャック・デリダは、「社会は現実ではなく、幻想だ。未来を考えることで現実に意味を与える。そして、今、あるものを生かそう」と言いました。

「今ココにあるものを生かしていく」という考え方がフランスで生まれたのです。

たとえば、「お腹すいた。何かない？」と言った時に「ちょっと待って」と冷蔵庫をあけて、「鍋ならできる」と言うのが今あるものを生かすことです。

「この材料が足りないからできない」と言うのではありません。

今あるものを生かすことで幸せは手に入ります。

今、目の前にあるものをどう生かしていくか考えればいいのです。

自分がしたいことのために、何が足りないと数えても、永遠に幸せは手に入りません。

「何が食べたい？」

「ハンバーグが食べたい」

「じゃ、今からスーパーに行って買ってくる」

となると、ハンバーグを食べるまでに3時間かかります。

それよりは、今、冷蔵庫にあるものでいいから、さっとつくってもらった方がうれしいです。

今、冷蔵庫にあるものでつくると、新しいメニューが生まれます。

与えられた材料でなんとかつくり上げていくのは、「ブリコラージュ」という考え方です。

これが幸せをつくる上で大切なことです。

危機管理も同じです。

予算・時間・人材の今あるものをどう組み合わせてつくるかです。

お母さんに連れられて中谷塾に来た中学2年生の武石昂大《あきひろ》君に、「なんでも相談して」とメールを送ると、「映画が好きだから、映画監督になりたい」と返信が来ました。

「いろいろな映画を見たり、好きな監督の映画は何回も見て」とアドバイスすると、日大の芸術学部映画学科に進み、自主映画をつくり始めました。

すると、『チャーハン』という映画がカンヌ映画祭で入賞して、招待されました。

武石監督の『チャーハン』という映画は、まさに今、映画をつくるクリエイティビティの宝庫です。

チャーハンは、その時にある材料を入れて炒めればつくれます。

哲学を学ぶ時に大切なことは、どれか1個である必要はありません。

これが信仰と違うところです。

「それも一応入れておこう」としておけばいいのです。

これが多神教です。

クリスマスもお正月もお祝いするというやり方でいいのです。

「そうだな」と信じるものを増やしていきます。
「どうかな？」と思うものも、いったん入れておいて、あとで何かと組み合わせると「あ、そういうことか」とわかることがあるのです。

時代を生き抜くために

69

未来を考えることで、現在に意味を与えよう。

Henri-Louis Bergson

70

時間は、心の中にある。哲学は、科学を超える。

ベルクソン
1859〜1941
フランス

ベルクソンは「時間論」を考えました。

人間は、死の不安があり、不老不死をどうやって手に入れるか悩んでいます。

実際の時間は、心の中にあります。

だから楽しい時間はあっという間に過ぎて、思い出すと凄く濃密なのです。

単に時間を増やすことが大切なのではありません。

これから寿命が100年、200年となった時に、時間の価値を上げるのは、長生きすることではありません。

「早く死んだ方がかわいそうだ」というのは、他者が勝手に決めていることです。

結局は、その人がどれだけ密度の濃い時間を生きられるかです。

密度の濃さは、他者には把握できません。

時間は心の中にあるので、時間の使い方や、すき間時間の活用というセコセコした話より、いかにこの瞬間、時間を忘れるような密度の濃さで生きるかが大切です。

哲学は、科学を超えます。

科学至上主義だった、産業革命から第1次世界大戦にいたるまでの時代から、第1次世界大戦後の20世紀にわたって、「科学じゃなくて、やっぱり哲学が大切だ」と考えるようになりました。

科学が万能主義だった時代は、たかだか１００年ぐらいです。

それより前は、まだ黒魔術の時代です。

人間の目から何かが出ていると考えられていました。

それによって、振り返ると誰かが見ていることがわかるという説もあります。

目から何かが出ているということをずっと研究している人もいます。

大昔から「科学、科学」と言っていても、実際の科学は万能ではありません。

科学を人間の生活や幸せにどう生かしていくかという考え方が哲学として大切なのです。

もう1つは、民族のためではなく、人類のために何かをするということです。

第1次世界大戦は民族の戦いでした。

第2次世界大戦は、第1次世界大戦の延長です。

今考えなければならないのは、民族のための戦いではなく、人類や地球のためにできることです。

人類の幸せがない中に、個人の幸せはありません。

核戦争になると、地球は終わってしまいます。

時間論によって、これからの未来のためにどうしていくかを考えていたのです。

時代を生き抜くために

70

民族ではなく、人類のためを考えよう。

あとがき

71

生まれ変わるために、哲学がある。

哲学は、道徳と混同されます。

哲学は、自由になり、幸せになり、しがらみから解放されて生まれ変わるためにあります。

生まれ変われないのは、今までの大切なものを守らなければいけないと考えるからです。

実際は、生まれ変わっていかないと、大切なものは守れません。

おいしいラーメン屋さんは、長年、味が変わらないのではなく、味をコツコツ変えています。

それはお客様に気づかれない程度にしているのです。

味を変え過ぎると、バレてしまいます。

バレないように、こっそり味を変えていかないと、お客様に飽きられます。

今の時代に合わなくなるのです。

何百年も続いている老舗がどんどん技術革新をしているのと同じです。

「そんな考え方もあるんだ」と気づいて生まれ変わるために、いろいろな哲学があります。

昔の共同体では、近所に怖いおじいさんやヘンなオッチャンがたくさんいました。

お風呂屋さんで会うと、ハダカで無防備な状態なのに知らないオッチャンが凄く話しかけてきます。

家族風呂が普及した現在はそれがありません。

その中で、唯一、お風呂屋さんで会う近所のヘンなオッチャン的な存在が哲学なのです。

2500年前のソクラテスの話を読むことができるし、聞くこともできます。

話し相手になってくれる哲学者をセコンドにつけない手はありません。

採用するかしないかは、自分の判断です。

「ヘエ、面白いことを言うな」という情報を、哲学から仕入れるのです。

むずかしくても、完璧に理解する必要はありません。

1%でいいから、「あ、なるほどな」とインスピレーションをもらいます。

それが自分の問題を解決する突破口になり、自分自身が生まれ変わるキッカケになります。

今、抱えている問題を今のレベルで解決するのではありません。

次元を上げた考え方で解決するのが、哲学を生かす方法なのです。

哲学って、ワクワクします。

時代を生き抜くために

71

大切なものを守るために、生まれ変わろう。

あとがき

【大和出版】
『自己演出力』
『一流の準備力』

【秀和システム】
『人とは違う生き方をしよう。』
『なぜいい女は「大人の男」とつきあうのか。』

【海竜社】
『昨日より強い自分を引き出す61の方法』
『一流のストレス』

【リンデン舎】
『状況は、自分が思うほど悪くない。』
『速いミスは、許される。』

【文芸社】
『全力で、１ミリ進もう。』文庫
『贅沢なキスをしよう。』文庫

【総合法令出版】
『「気がきくね」と言われる人のシンプルな法則』
『伝説のホストに学ぶ82の成功法則』

【サンクチュアリ出版】
『転職先はわたしの会社』
『壁に当たるのは気モチイイ　人生もエッチも』

【青春出版社】
『いくつになっても「求められる人」の小さな習慣』

【WAVE出版】
『リアクションを制する者が20代を制する。』

【ユサブル】
『1秒で刺さる書き方』

【河出書房新社】
『成功する人は、教わり方が違う。』

【二見書房】
『「お金持ち」の時間術』文庫

【ミライカナイブックス】
『名前を聞く前に、キスをしよう。』

【イースト・プレス】
『なぜかモテる人がしている42のこと』文庫

【第三文明社】
『仕事は、最高に楽しい。』

【日本経済新聞出版社】
『会社で自由に生きる法』

【講談社】
『なぜ あの人は強いのか』文庫

【アクセス・パブリッシング】
『大人になってからもう一度受けたい コミュニケーションの授業』

【阪急コミュニケーションズ】
『サクセス＆ハッピーになる50の方法』

【きこ書房】
『大人の教科書』

中谷彰宏　主な作品一覧

『一流のお金の生み出し方』
『一流の思考の作り方』

【ぱる出版】
『粋な人、野暮な人。』
『品のある稼ぎ方・使い方』
『察する人、間の悪い人。』
『選ばれる人、選ばれない人。』
『一流のウソは、人を幸せにする。』
『なぜ、あの人は「本番」に強いのか』
『セクシーな男、男前な女。』
『運のある人、運のない人』
『器の大きい人、器の小さい人』
『品のある人、品のない人』

【学研プラス】
『読む本で、人生が変わる。』
『なぜあの人は感じがいいのか。』
『頑張らない人は、うまくいく。』
『見た目を磨く人は、うまくいく。』文庫
『セクシーな人は、うまくいく。』
『片づけられる人は、うまくいく。』文庫
『美人力』ハンディ版
『怒らない人は、うまくいく。』文庫
『すぐやる人は、うまくいく。』文庫

【ファーストプレス】
『「超一流」の会話術』
『「超一流」の分析力』
『「超一流」の構想術』
『「超一流」の整理術』
『「超一流」の時間術』
『「超一流」の行動術』
『「超一流」の勉強法』
『「超一流」の仕事術』

【水王舎】
『なぜ美術館に通う人は「気品」があるのか。』
『なぜあの人は「美意識」があるのか。』
『なぜあの人は「教養」があるのか。』
『結果を出す人の話し方』
『「人脈」を「お金」にかえる勉強』
『「学び」を「お金」にかえる勉強』

【あさ出版】
『孤独が人生を豊かにする』
『気まずくならない雑談力』
『「いつまでもクヨクヨしたくない」とき読む本』
『「イライラしてるな」と思ったとき読む本』
『なぜあの人は会話がつづくのか』

【すばる舎リンケージ】
『仕事が速い人が無意識にしている工夫』
『好かれる人が無意識にしている文章の書き方』
『好かれる人が無意識にしている言葉の選び方』
『好かれる人が無意識にしている気の使い方』

【日本実業出版社】
『出会いに恵まれる女性がしている63のこと』
『凛とした女性がしている63のこと』
『一流の人が言わない50のこと』
『一流の男 一流の風格』

【現代書林】
『チャンスは「ムダなこと」から生まれる。』
『お金の不安がなくなる60の方法』
『なぜあの人には「大人の色気」があるのか』

【毎日新聞出版】
『あなたのまわりに「いいこと」が起きる70の言葉』
『なぜあの人は心が折れないのか』
『一流のナンバー2』

【ぜんにち出版】
『リーダーの条件』
『モテるオヤジの作法2』
『かわいげのある女』

【DHC】
ポストカード『会う人みんな神さま』
書画集『会う人みんな神さま』
『あと「ひとこと」の英会話』

『なぜあの人はプレッシャーに強いのか』
『大学時代しなければならない50のこと』
『あなたに起こることはすべて正しい』

【きずな出版】
『生きる誘惑』
『しがみつかない大人になる63の方法』
『「理不尽」が多い人ほど、強くなる。』
『グズグズしない人の61の習慣』
『イライラしない人の63の習慣』
『悩まない人の63の習慣』
『いい女は「涙を背に流し、微笑みを抱く男」とつきあう。』
『ファーストクラスに乗る人の自己投資』
『いい女は「紳士」とつきあう。』
『ファーストクラスに乗る人の発想』
『いい女は「言いなりになりたい男」とつきあう。』
『ファーストクラスに乗る人の人間関係』
『いい女は「変身させてくれる男」とつきあう。』
『ファーストクラスに乗る人の人脈』
『ファーストクラスに乗る人のお金2』
『ファーストクラスに乗る人の仕事』
『ファーストクラスに乗る人の教育』
『ファーストクラスに乗る人の勉強』
『ファーストクラスに乗る人のお金』
『ファーストクラスに乗る人のノート』
『ギリギリセーーフ』

【PHP研究所】
『自己肯定感が一瞬で上がる63の方法』文庫
『定年前に生まれ変わろう』
『なぜあの人は、しなやかで強いのか』
『メンタルが強くなる60のルーティン』
『なぜランチタイムに本を読む人は、成功するのか。』
『中学時代にガンバれる40の言葉』
『中学時代がハッピーになる30のこと』
『もう一度会いたくなる人の聞く力』
『14歳からの人生哲学』
『受験生すぐにできる50のこと』
『高校受験すぐにできる40のこと』
『ほんのささいなことに、恋の幸せがある。』
『高校時代にしておく50のこと』
『お金持ちは、お札の向きがそろっている。』文庫
『仕事の極め方』
『中学時代にしておく50のこと』
『たった3分で愛される人になる』文庫
『【図解】「できる人」のスピード整理術』
『【図解】「できる人」の時間活用ノート』
『自分で考える人が成功する』文庫
『入社3年目までに勝負がつく77の法則』文庫

【大和書房】
『大人の男の身だしなみ』
『今日から「印象美人」』文庫
『いい女のしぐさ』文庫
『美人は、片づけから。』文庫
『いい女の話し方』文庫
『「つらいな」と思ったとき読む本』文庫
『27歳からのいい女養成講座』文庫
『なぜか「HAPPY」な女性の習慣』文庫
『なぜか「美人」に見える女性の習慣』文庫
『いい女の教科書』文庫
『いい女恋愛塾』文庫
『「女を楽しませる」ことが男の最高の仕事。』文庫
『いい女練習帳』文庫
『男は女で修行する。』文庫

【リベラル社】
『1分で伝える力』
『「また会いたい」と思われる人「二度目はない」と思われる人』
『モチベーションの強化書』
『50代がもっともっと楽しくなる方法』
『40代がもっと楽しくなる方法』
『30代が楽しくなる方法』
『チャンスをつかむ 超会話術』
『自分を変える 超時間術』
『問題解決のコツ』
『リーダーの技術』
『一流の話し方』

中谷彰宏　主な作品一覧

【ダイヤモンド社】
『60代でしなければならない50のこと』
『面接の達人 バイブル版』
『なぜあの人は感情的にならないのか』
『50代でしなければならない55のこと』
『なぜあの人の話は楽しいのか』
『なぜあの人はすぐやるのか』
『なぜあの人は逆境に強いのか』
『なぜあの人の話に納得してしまうのか［新版］』
『なぜあの人は勉強が続くのか』
『なぜあの人は仕事ができるのか』
『25歳までにしなければならない59のこと』
『なぜあの人は整理がうまいのか』
『なぜあの人はいつもやる気があるのか』
『なぜあのリーダーに人はついていくのか』
『大人のマナー』
『プラス１％の企画力』
『なぜあの人は人前で話すのがうまいのか』
『あなたが「あなた」を超えるとき』
『中谷彰宏金言集』
『こんな上司に叱られたい。』
『フォローの達人』
『「キレない力」を作る50の方法』
『女性に尊敬されるリーダーが、成功する。』
『30代で出会わなければならない50人』
『20代で出会わなければならない50人』
『就活時代しなければならない50のこと』
『あせらず、止まらず、退かず。』
『お客様を育てるサービス』
『あの人の下なら、「やる気」が出る。』
『なくてはならない人になる』
『人のために何ができるか』
『キャパのある人が、成功する。』
『時間をプレゼントする人が、成功する。』
『明日がワクワクする50の方法』
『ターニングポイントに立つ君に』
『空気を読める人が、成功する。』
『整理力を高める50の方法』
『迷いを断ち切る50の方法』
『なぜあの人は10歳若く見えるのか』
『初対面で好かれる60の話し方』
『成功体質になる50の方法』
『運が開ける接客術』
『運のいい人に好かれる50の方法』
『本番力を高める57の方法』
『運が開ける勉強法』
『バランス力のある人が、成功する。』
『ラスト３分に強くなる50の方法』
『逆転力を高める50の方法』
『最初の３年その他大勢から抜け出す50の方法』
『ドタン場に強くなる50の方法』
『アイデアが止まらなくなる50の方法』
『思い出した夢は、実現する。』
『メンタル力で逆転する50の方法』
『自分力を高めるヒント』
『なぜあの人はストレスに強いのか』
『面白くなければカッコよくない』
『たった一言で生まれ変わる』
『スピード自己実現』
『スピード開運術』
『スピード問題解決』
『スピード危機管理』
『一流の勉強術』
『スピード意識改革』
『お客様のファンになろう』
『20代自分らしく生きる45の方法』
『なぜあの人は問題解決がうまいのか』
『しびれるサービス』
『大人のスピード説得術』
『お客様に学ぶサービス勉強法』
『スピード人脈術』
『スピードサービス』
『スピード成功の方程式』
『スピードリーダーシップ』
『出会いにひとつのムダもない』
『なぜあの人は気がきくのか』
『お客様にしなければならない50のこと』
『大人になる前にしなければならない50のこと』
『なぜあの人はお客さんに好かれるのか』
『会社で教えてくれない50のこと』
『なぜあの人は時間を創り出せるのか』
『なぜあの人は運が強いのか』
『20代でしなければならない50のこと』

著者略歴

中谷 彰宏（なかたに あきひろ）

1959年、大阪府生まれ。早稲田大学第一文学部演劇科卒。博報堂に入社し、8年間のCMプランナーを経て、91年、独立し、株式会社中谷彰宏事務所を設立。人生論、ビジネスから恋愛エッセイ、小説まで、多くのロングセラー、ベストセラーを送り出す。中谷塾を主宰し、全国で講演活動を行っている。

※本の感想など、どんなことでもお手紙を楽しみにしています。
　他の人に読まれることはありません。**僕は本気で読みます。**

中谷彰宏

〒460-0008　名古屋市中区栄3-7-9 新鏡栄ビル8F　株式会社リベラル社　編集部気付
中谷彰宏　行

※食品、現金、切手等の同封はご遠慮ください（リベラル社）

[中谷彰宏　公式サイト] https://an-web.com

中谷彰宏は、盲導犬育成事業に賛同し、この本の印税の一部を（公財）日本盲導犬協会に寄付しています。

装丁・本文デザイン　宮下ヨシヲ（サイフォン グラフィカ）
DTP　渡辺靖子（リベラル社）
編集人　伊藤光恵（リベラル社）
営業　津田滋春（リベラル社）

編集部　堀友香・山田吉之
営業部　津村卓・廣田修・青木ちはる・澤順二・大野勝司・竹本健志
制作・営業コーディネーター　仲野進

眠れなくなるほど面白い 哲学の話

2020年4月30日　初版

著　者　中 谷 彰 宏
発行者　隅 田 直 樹
発行所　株式会社 リベラル社
〒460-0008 名古屋市中区栄3-7-9 新鏡栄ビル8F
TEL 052-261-9101　FAX 052-261-9134
http://liberalsya.com
発　売　株式会社 星雲社（共同出版社・流通責任出版社）
〒112-0005 東京都文京区水道1-3-30
TEL 03-3868-3275

 ISBN978-4-434-27400-8

リベラル社　中谷彰宏の好評既刊

「また会いたい」と思われる人
「二度目はない」と思われる人

出会いは、1回会って2回目に会うまでが勝負です。「二度目につなげる72の具体例」を紹介します。

1分で伝える力

大切なのは、相手が聞いてすぐに動ける状態にすることです。中谷彰宏が教える「人を動かす話し方61」。

30代が楽しくなる方法

40代がもっと楽しくなる方法

50代がもっともっと楽しくなる方法

すべて　四六判／1,300円+税